LE SANG DE LA PAIX

Tracy Chamoun

LE SANG DE LA PAIX

L'avenir de l'Occident
se joue au Liban

Traduit de l'anglais
par Georges Dumbakly

JC Lattès

Maquette de couverture : Atelier Didier Thimonier
Photo © Souleima Chreim et George Bastajian

ISBN : 978-2-7096-4376-4

À la mémoire de mes parents,
Dany et Patti Chamoun.

« Celui qui ne colle pas à la vérité dans les petites choses ne peut pas prétendre à la confiance sur des questions importantes. »

Albert Einstein

« Il y a des événements qui sont si importants qu'un témoin a une obligation de les retranscrire fidèlement plutôt que d'avoir la présomption de les modifier en les interprétant. »

Ernest Hemingway

Ennemis et adversaires
Dans les coulisses du temps
Fantômes étranges
Légués de vies antécédentes
Aujourd'hui affichant
Un masque différent
Malédictions oubliées
De croyances dépassées
Rejaillissant sans arrêt
Des dettes anciennes
Impossible à effacer
M'engloutissent dans la mêlée
D'une vie de violence
De tristes déchirements
Inutilement accumulés
Où rien ne perdure
Ni s'éternise,
Tout s'éclipse et se flétrit
Mais encore et toujours
Les démons nous fixent
Indifférents.

Extrait
« Seulement L'Amour »

1.

Je me revois un jour, assise à la table de mon grand-père Camille Chamoun, dans la salle à manger d'Ashrafieh, ce quartier de Beyrouth transformé alors en ghetto chrétien. Il venait de finir son repas de *malfouf mehche* (des feuilles de choux farcies), préparé pour lui par sa fidèle cuisinière Janette. Un plat auquel je refusais de toucher car j'étais déjà végétarienne à l'époque. Lui voyait mes habitudes alimentaires d'un mauvais œil mais se contentait, quand il y était confronté, de lever les yeux au ciel et de se concentrer sur son repas. Mon grand-père se comportait à table avec méthode et sérieux. Il y avait très peu de discussions pendant les repas et les plats étaient servis l'un après l'autre dès que son assiette était vide.

Ce jour-là, après avoir terminé son déjeuner, il faisait les cent pas, les mains derrière le dos. C'était une habitude chez lui. Et c'est dans cette attitude que je me le rappelle le mieux : dix pas dans un sens, demi-tour, dix pas dans l'autre. Il récitait parfois des poèmes et j'aimais m'asseoir à côté pour les écouter. Mais ce jour-là était différent. Mon grand-père était maussade. Je l'avais déprimé en lui annonçant pendant le déjeuner qu'il me fallait quitter le Liban. Je n'avais pas d'autre choix que partir, comme tous les jeunes de ma génération à ce moment de notre histoire. Depuis l'âge de quatorze ans, j'avais traversé le plus gros de la guerre au Liban, puis j'étais partie faire mes études universitaires en Angleterre. Une fois diplômée, j'avais choisi de rentrer dans mon pays pour être au côté de ma famille. J'avais vingt ans et, à ma grande surprise, j'avais réussi à m'insérer avec succès dans la vie active. Je venais juste de décrocher de prestigieux contrats avec des banques pour m'occuper de la publication de leurs bilans et mener des études de communication.

Mais l'avenir qui s'ouvrait devant moi était sombre et s'annonçait sans joie ni paix. Il ne me restait plus qu'à envisager une vie ailleurs, loin de ma patrie, comme des centaines de milliers de mes concitoyens qui ont dû s'exiler pendant les horribles années de carnage de la guerre civile.

Je savais que mon grand-père était très fier de moi. En ce jour fatidique, je lui expliquais pourtant que je n'en pouvais plus de conduire dans les rues désertes en esquivant les obus de mortier ou les francs-tireurs ; que les fonds réunis pour mon travail s'étaient envolés du jour au lendemain avec la dévaluation soudaine de la livre libanaise face au dollar américain, et que je n'arrivais plus à vivre dans un monde plein de haine. Nous étions alors en 1986 et les milices chrétiennes ne cessaient de se renverser l'une l'autre en faisant couler le sang. Suite à l'assassinat du président élu Béchir Gemayel, les hommes de sa milice s'entredéchiraient pour le pouvoir. La dernière offensive, celle d'un combattant nommé Samir Geagea contre un autre, Élie Hobeika, avait fait beaucoup de morts. Leur lutte condamnait pour les générations à venir la communauté même pour laquelle ils se battaient. Ce dernier bain de sang était pour moi la trahison de trop dans une série qui était déjà beaucoup trop longue.

J'observais attentivement mon grand-père qui déambulait toujours. Son attitude avait changé. Je pouvais sentir le poids des ans et du désespoir sur ses épaules affaissées. Il avait la mâchoire serrée. Ses pas étaient lents et lourds. Je devinais ses pensées. Ce n'était pas ce dont il avait rêvé pour nous, les nouvelles générations, en contribuant à façonner cette société dans laquelle nous étions nés.

Les événements dans la région avaient anéanti les rêves qu'il formait pour son pays, aujourd'hui plongé dans le chaos et la violence. Tous les espoirs que mon grand-père avait nourris de construire une nation indépendante et souveraine, un Liban qui offre au monde un message de coexistence et de tolérance religieuse, sombraient dans une des guerres les plus sectaires de l'histoire.

Lui qui s'était tu jusque-là marmonna : « Je n'ai pas voulu ça. » Et je compris, à travers ces quelques mots, la profondeur de sa tristesse et son accablement.

Mon grand-père était un des dirigeants de son pays mais aussi de la communauté religieuse maronite. L'Église maronite du Liban est une branche de l'Église chrétienne catholique, fondée au IVe siècle suivant les préceptes de saint Maron. L'histoire des maronites est faite de persécutions et de lutte pour la survie. Leur communauté a survécu aux envahisseurs turcs et musulmans en se réfugiant dans les montagnes libanaises. C'est un peuple rude habitué à défendre sa foi, une icône de la résistance. Les maronites ont conservé leurs traditions et leurs pratiques. Ils ont participé à la création et au maintien du Liban indépendant moderne. La clé de leur survie est dans les liens qu'ils entretiennent, depuis les croisades, avec l'Occident, des liens forts avec la France et la Grande-Bretagne et naturellement, de nos jours, avec les États-Unis.

Bien avant ma naissance, mon grand-père faisait déjà partie du paysage politique du Moyen-Orient et du Liban en particulier. Figure de proue de la résistance au colonialisme français, il s'était battu pour l'indépendance de son pays. Prisonnier des Français durant leur mandat, il fut – signe de l'histoire – libéré le même jour que son pays. Il avait été ambassadeur du Liban en Grande-Bretagne de 1944 à 1946 puis auprès des Nations unies, avant d'être élu président de la République libanaise en 1952.

Les six années de sa présidence, de 1952 à 1958, sont connues comme « les années d'or » de l'histoire du Liban. Avec Zelpha, ma grand-mère, ils offraient au pays, charmé, l'image d'un couple plein de grâce et de beauté et, au monde, celle d'un Liban moderne, cosmopolite et éclairé.

À la fin de son mandat en juillet 1958, le Liban fut menacé par une guerre civile. Au summum de la guerre froide entre l'Occident et l'Union soviétique, la région était mise en émoi par la naissance de mouvements panarabes laïcs et socialistes. En Syrie et en Irak, ils s'incarnèrent dans les nouvelles idéologies baasistes. En Égypte, en la personne d'Abdel Nasser, colonel de l'armée égyptienne qui conduisit la révolution égyptienne de 1952 et devint président du pays. Il chercha alors à exporter sa vision du panarabisme et à l'imposer au reste du monde arabe. L'agitation qui en résulta atteignit son paroxysme en 1956. Mon grand-père refusa de rompre les relations diplomatiques avec l'Occident durant la crise du canal de Suez. En conformité avec ses convictions anti-impérialistes, Abdel Nasser nationalisa la Compagnie du canal de Suez.

Son succès dans la gestion de la crise de Suez fit de Nasser un héros dans le monde arabe. Il utilisa sa popularité pour faire pression sur le gouvernement libanais afin qu'il rejoigne la République arabe nouvellement créée. Beaucoup de factions musulmanes au Liban embrassèrent cette nouvelle idéologie. Les chrétiens, en revanche, souhaitaient garder le Liban dans le giron des puissances occidentales. Sentant croître le malaise et la menace que faisait peser le prosélytisme d'Abdel Nasser, mon grand-père tenta de prolonger son mandat présidentiel. Nasser répondit en incitant à un soulèvement armé contre mon grand-père, provoquant ce qui fut communément appelé « la révolution de 58 ».

L'escalade de la violence poussa mon grand-père à demander l'aide du Président américain Eisenhower, qui répondit en envoyant la sixième flotte américaine mouiller au large du Liban. La présence des États-Unis mit, de fait, un terme aux combats et mon grand-père termina son mandat de président. Cette mini-révolution avortée n'en annonçait pas moins la nouvelle vague de violence qui, seize ans plus tard, allait impliquer les mêmes forces antagonistes.

Après son retrait de la présidence en 1958, mon grand-père fonda le Parti National Libéral : les *Ahrars* en 1968. Sous la bannière de son parti politique, il gagna 11 sièges parlementaires sur

17

99 aux élections de 1968, faisant de celui-ci le parti le plus représenté dans cet hémicycle notoirement divisé.

La charte de son parti, qu'il a lui-même rédigée, témoigne clairement de sa vision d'un Liban profondément enraciné dans la Ligue arabe, celle d'une nation souveraine au sein même de la constellation arabe. C'est une chose que beaucoup de gens n'ont pas comprise. Il avait un profond respect pour la nature singulière du Liban qui en fait un pont entre les cultures arabe et occidentale et il était fier d'appartenir aux deux.

Au cours des seize années qui précédèrent le déclenchement de la guerre civile libanaise, en 1975, il y eut une courte période de calme relatif sur le territoire libanais. Ce n'était qu'un mirage, l'expulsion des Palestiniens par Israël engendrant un déséquilibre croissant dans la région.

La destruction des Palestiniens en tant que peuple et en tant que nation a créé tant de pertes, d'humiliation et de colère qu'elle a servi de catalyseur à la plupart des injustices qui ont suivi. Face à une opinion politique mondiale qui déniait leur drame, les Palestiniens n'ont eu d'autre issue que de combattre pour leurs droits et leurs libertés. Malheureusement, le fait qu'ils aient eu recours à l'horreur des actes de terrorisme pour protester contre leur sort n'a servi qu'à les isoler dans leurs revendications et à susciter dans le reste du monde de la peur et du ressentiment à leur égard. On ne répare pas une injustice avec une autre : notre propre histoire dominée par la guerre en est le meilleur témoignage.

Dès le début des hostilités, le conflit israélo-palestinien a débordé au Liban. Mais ce fut pire après les événements de Septembre Noir en Jordanie en 1970. L'Organisation de Libération de la Palestine (OLP), conduite par Yasser Arafat, tenta de renverser le roi Hussein. Ces violents affrontements se soldèrent par l'expulsion de tous les militants palestiniens de Jordanie vers le Liban. Cet afflux gonfla considérablement le nombre de réfugiés palestiniens au Liban qui atteignit alors les trois cent mille, soit 10 % de la population.

On les installa dans des camps disséminés dans tout le pays ainsi que dans la capitale, Beyrouth. Ce n'était plus qu'une question de temps avant que la présence de l'OLP, organisation militarisée, sur le sol libanais, ne crée des troubles internes dans le pays en déséquilibrant la balance des pouvoirs sur le terrain.

Les combattants de l'OLP reçurent le soutien d'une coalition libanaise composée de nationalistes arabes et de partis de gauche qui s'opposèrent au gouvernement largement dominé par l'aile droite des chrétiens maronites pro-occidentaux. Beaucoup de Libanais de toutes confessions, et en particulier des chrétiens, se trouvèrent en position de devoir défendre leur croyance en un Liban souverain et indépendant.

La montée en puissance des Palestiniens, soutenus par les Syriens, commençait aussi à menacer les chrétiens dans leur droit à exister. En résumé, en 1975, quand a commencé la guerre civile, quatre grands axes de déstabilisation créaient les conditions d'un éclatement de la nation : la création de l'État d'Israël ; l'exode massif du peuple palestinien hors de sa patrie et sa militarisation ; les pressions exercées par la guerre froide entre la Russie et les États-Unis ; et la naissance du mouvement panarabe qui, en politisant l'islam, accentuait la ségrégation confessionnelle entre les communautés chrétiennes et musulmanes du Liban.

Je suis née dans ce contexte de violentes luttes de pouvoir et pourtant, j'ai connu jusqu'en 1975 une enfance paisible d'enfant gâtée dans un pays

magnifique. Mon grand-père était un personnage charismatique et notre famille baignait dans
son aura.

Mon père Dany a rencontré ma mère, Patti,
à Londres. Ce n'était pas une femme ordinaire :
une beauté australienne à la stature d'amazone,
top-model et présentatrice à la télévision dans
l'Angleterre des années 1950. Au départ, mon
grand-père Camille était opposé à cette relation.
Il envoya ma grand-mère Zelpha à Londres pour
dissuader ma mère d'épouser mon père. Mais
Zelpha fut charmée par ma mère et, de retour
au Liban, non seulement elle se fit l'avocate de
ce mariage mais elle prit aussi ardemment la
défense du caractère de ma mère. Mon grand-
père comprit qu'il ne gagnerait pas ce combat et
imputa cette coalition contre lui au fait que Zelpha et Patti étaient toutes les deux « protes-
tantes » !

Mes parents se marièrent en 1958 à Londres.
Ma mère fit son entrée au Liban en pleine révolution. On lui mit un pistolet dans la main dès
son arrivée et ce fut son baptême du feu, à elle
qui allait vivre le reste de sa vie dans une nation
abonnée à l'agitation sociale et à la violence.
Son allure peu commune causa, au début, des

émeutes dans les rues. Périodiquement, mon grand-père dépêchait des motards à son secours quand la foule la malmenait dans les souks arabes où elle osait parfois s'aventurer. Tout au long de sa vie au Liban, elle a été considérée comme une étrangère – une *ajnabieh*.

Malgré les limites imposées par la langue arabe et un environnement globalement oppressant pour les femmes, ma mère a su créer son propre monde et sa propre réalité. Elle a lancé la première agence de mannequins du Moyen-Orient et dirigé seule son entreprise, organisant des défilés de mode en Iran et en Jordanie, ce qui était extrêmement progressiste pour l'époque. Pleinement confiante en ses propres capacités, intelligente, c'est à elle que je dois les valeurs occidentales que je revendique : être indépendante, l'égale des hommes et libre de m'exprimer.

Nous passions en famille de mémorables vacances, sur les plages en été et au ski dans les montagnes en hiver. Mon père Dany avait le teint clair. C'était un très bel homme, doté d'une volonté forte sous un comportement modeste et attentionné. Fervent sportif, chasseur, il aimait les activités de plein air et m'a transmis son amour de la nature dès mon plus jeune âge.

L'essentiel de notre temps libre était consacré aux activités sportives, à skier, faire de la plongée sous-marine ou des courses de voitures, passe-temps préféré de mon père. Dans l'ensemble, malgré tous les problèmes, le Liban offrait le visage d'une société qui aimait s'amuser et c'est toujours le cas aujourd'hui. En dépit de cette frivolité et sous ce vernis d'exubérance, se tapit une réalité beaucoup plus sombre, faite de violence brute et d'une impulsivité toujours prête à exploser. Des traits qui refont surface périodiquement comme je n'allais pas tarder à le découvrir, encore très jeune.

Mes souvenirs les plus chers remontent à la période brève qui va de 1960 à 1967, date à laquelle le conflit israélo-palestinien se répandit sur le Liban. L'image la plus douce que je conserve de cette époque précieuse est celle de ma grand-mère dans la maison familiale, de Saadiyat, au sud du Liban. Cette maison n'existe plus. Elle a été complètement détruite et pillée par la guérilla palestinienne dès le début des combats. Elle était construite au bord de la mer et, aux beaux jours, l'odeur salée de l'océan mêlée à celle des bougainvillées emplissait toutes les pièces du bouquet des parfums enivrants de la Méditerranée. À la tombée du jour, quand le soleil déclinait, une brise légère s'engouffrait par les grandes baies vitrées et gonflait les rideaux blancs comme les voiles d'un bateau. Avec ses jardins paysagers qui s'étendaient jusqu'à la mer, la maison semblait flotter à l'horizon sur les vagues.

En été, le dimanche était le moment sacré des réunions de famille. Nous passions la journée dans le bel écrin sécurisant de la maison. Le déjeuner était le point culminant de la journée. Ma grand-mère cuisinait de délicieux plats traditionnels libanais, dont le *kebbé bil saynie,* servi en plat principal sur un grand plateau (de l'agneau émincé aux pignons de pin que l'on mange avec du yaourt). Mon grand-père siégeait à une extrémité de la table de la salle à manger et ma grand-mère à l'autre. Ces moments-là ont pris un autre visage après le début de la guerre, chaque réunion de famille étant assombrie par l'intrusion incessante de mauvaises nouvelles et la présence constante de gardes du corps à nos côtés.

J'avais quatorze ans quand la guerre civile éclata. Du jour au lendemain, la réalité dans laquelle je vivais changea radicalement. Pour la première fois je fus confrontée au fait que mon pays était constitué de religions différentes. Avant, comme la plupart des gens, nous n'avions jamais prêté attention à ces questions. Aux yeux des écoliers que nous étions, qui grandissions tous ensemble, cela ne constituait pas un problème.

Le meilleur ami de mon grand-père était un gentleman druze du nom de Adel Hamdan. Ses enfants étaient aussi les meilleurs amis de mes parents. Mon grand-père avait toujours cru en un Liban multiconfessionnel. Son parti politique, les Ahrars, était à l'image de ses convictions, composé d'adeptes de toutes les confessions. Seules les circonstances de la guerre l'ont amené par la suite à prendre des positions en faveur du clan chrétien.

Dans la région du Chouf au Liban, coexistaient depuis toujours différentes communautés, maronite, catholique, protestante, musulmane sunnite, druze. Le Chouf est situé au sud de Beyrouth. C'est là où se trouve le berceau ancestral de ma famille.

Les sunnites, concentrés dans une région du Chouf, appelée le Iqulim el Kharroub, étaient de fervents partisans de mon grand-père. À ce jour, ils restent des alliés de ma famille. Un de leurs représentants à l'époque, Hassan El-Kaakoor, avait, du reste, été élu député sur la liste parlementaire de mon grand-père.

Dans le Chouf, la communauté druze était partagée – c'est encore le cas aujourd'hui – entre Jumblattiyes et Yazbakkiyes. Les Jumblattiyes étaient les partisans de Kamal Joumblatt, qui avaient fondé le Parti Socialiste Progressiste, dirigé aujourd'hui par son fils Walid. Les druzes yazbakkiehs étaient alors chamounistes, représentés par la famille Arslan à la tête de laquelle trônait l'émir Majid. C'est son fils Talal qui est maintenant le chef du clan.

Contrairement aux régions du Nord et au district de Kesserouan où la population est plus homogène, à prédominance chrétienne, le Chouf a toujours été multiconfessionnel par essence. Ce fut le cas, du moins, jusqu'en 1982. Après l'invasion du Liban par l'armée israélienne et avec son soutien tacite, les unités des Forces Libanaises, commandées par Samir Geagea (il en fut nommé commandant dans le secteur du Chouf-Aley du Mont-Liban en janvier 1983), allèrent s'établir dans les zones peuplées de chrétiens du Chouf ouest. Cela eut pour effet immédiat de provoquer des affrontements avec la communauté druze locale, qui vit les Forces Libanaises comme des envahisseurs.

En imposant par la force son autorité sur le Chouf, Geagea réveilla les vieilles inimitiés. De nombreux civils furent massacrés des deux côtés. Cette violence tragique provoqua un exode massif de la population chrétienne hors du Chouf (à l'heure actuelle, cette région souffre encore de l'impact démographique de ces événements).

Un incident servit de catalyseur au déclenchement de la guerre civile en 1975 : l'attaque d'un autobus rempli de Palestiniens qui fut criblé de balles par un groupe chrétien se faisant appeler Les Phalangistes ou *Kataëbs*, en référence au parti du général Franco en Espagne. Cette organisation avait été fondée par Pierre Gemayel, un homme politique chrétien rival de mon grand-père.

Dès le début des combats, les dirigeants des deux partis, le Parti Libéral, les Ahrars de mon grand-père, et le parti phalangiste de Gemayel, les Kataëbs, remirent le commandement de leurs milices à leur fils respectif. Mon père, Dany, prit la tête des « Tigres » et Béchir Gemayel celle des Kataëbs. À la base, ces deux groupes, quoiqu'en relation, ne partageaient pas de vision commune de la nation et leurs stratégies politiques étaient très différentes. Ma propre famille, portée par la vision de mon grand-père, défendait l'idée d'une nation à laquelle les critères religieux et communautaires ne devaient pas imposer de limites. Il s'agissait d'un mouvement nationaliste, comme son nom l'indiquait, et comme tel, il défendait la vision d'un Liban uni où musulmans et chrétiens pouvaient cohabiter. En revanche, la philosophie politique des Kataëbs reposait sur la conviction profondément ancrée que le Liban se porterait bien mieux sous un régime de partition, dotant les secteurs chrétiens et musulmans de gouvernements autonomes.

Cette idéologie est toujours de mise aujourd'hui. Elle a son équivalent chez les sionistes, convaincus de la nécessité de créer de petites communautés ethniques au Moyen-Orient sur la base de leur identité religieuse. Déjà à l'époque de Ben Gourion, les Israéliens avaient compris que leur survie à long terme dépendait de ce type de morcellement, apte à les protéger du risque de se retrouver en position de minorité ethnique isolée, encerclée par des forces antagonistes arabes et islamiques.

Au début des années 1970 les Kataëbs et les Ahrars partageaient pourtant un ennemi commun, les guérilleros palestiniens qui, après leur expulsion de la Jordanie par le roi Hussein, avaient eu l'autorisation de mener leur guerre contre Israël à partir du sol libanais. Au début, les partis chrétiens combattirent côte à côte. La guerre et l'anarchie progressant, ils finirent, tragiquement, par se battre entre eux.

Le gouvernement libanais, aveugle et corrompu, ferma les yeux sur l'approvisionnement en armes des forces palestiniennes qui allait pourtant permettre à celles-ci de miner les soubassements de la nation. Formés derrière le rideau de fer, les agents de l'OLP étaient préparés à des combats rudes. Les camps de réfugiés palestiniens, disséminés dans la capitale, jusque-là si tranquille, devinrent de vastes arsenaux, des forteresses remplies d'armes soviétiques modernes. Ils abritèrent rapidement la plupart des activités terroristes internationales.

Dès le début des hostilités, ma vie chavira, comme celle de tous mes compatriotes. Je perdis contact avec mes amis musulmans en même temps que l'accès à ce qui fut appelé plus tard Beyrouth-Ouest et plus généralement aux zones musulmanes, soit à toute une partie de mon pays comprenant un grand pan de la capitale, le sud du Liban, et la belle vallée de la Bekaa. Tous ces territoires furent désormais inaccessibles aux chrétiens. J'avais passé la plus grande partie de ma jeunesse à l'ouest de Beyrouth. C'est là qu'était mon école, ainsi que les restaurants, les plages, les boutiques et les hôtels que nous avions l'habitude de fréquenter. Je réalisais que je ne connaissais rien du côté chrétien du Liban à l'exception de la station de ski des Cèdres où nous passions de nombreux week-ends.

Aux premiers combats, les quartiers musulmans furent fermés à tout chrétien qui ne voulait pas risquer l'enlèvement, la mort ou la torture. Il en alla de même du côté chrétien où les musulmans se mirent à craindre pour leur vie. Ils furent des milliers, chrétiens et musulmans, à fuir leur maison et à se transformer en réfugiés dans leur propre pays. Les chrétiens élurent domicile dans le quartier francophone d'Achrafieh et dans les collines et les vallées du Mont-Liban, sanctuaire des maronites depuis des siècles.

À Beyrouth, la ligne de démarcation entre les deux camps devint « la Ligne Verte », la nature ayant fini par reprendre ses droits dans cette zone dévastée par les combats. L'herbe et les arbres poussaient dans les rues vides et les bâtiments détruits, formant une ceinture verte. Le terme arabe pour la ligne de front était *khutut al-tammas*, littéralement, la ligne de confrontation.

Je fis mon dernier voyage à Beyrouth-Ouest dans l'autobus scolaire qui me ramenait à la maison, entre des pneus enflammés et des checkpoints palestiniens. Nous eûmes du mal à rentrer ce jour-là et je ne devais jamais remettre les pieds dans mon ancienne école. Sur le chemin, le bus fut pris dans un déluge de feu. Paniqué, le chauffeur insista pour me déposer à une intersection. Il ne voulait pas s'aventurer jusqu'à l'immeuble où se trouvaient les bureaux de ma mère. Trop dangereux. Je me retrouvai seule soudain, échouée dans une avenue déserte, étouffant sous la fumée noire des pneus qui brûlaient alentour. J'entendais des cris, j'apercevais des hommes en armes qui détalaient. Je courus aussi vite que je pus pour trouver un abri dans l'immeuble. Par chance, l'un des gardes, un musulman, était encore là. Il me raccompagna, saine et sauve, à la maison. Après cet incident je pris soin de ne plus m'aventurer à nouveau du « mauvais côté » de la ville.

Ce fut une rupture complète, irréversible, avec tout ce qui constituait mon univers familier. Des années plus tard, quand je suis retournée sur les vestiges de mon passé, mon ancienne école, les plages, les stations où j'avais l'habitude d'aller, et même la maison de mon grand-père qui avait

31

été rasée, j'ai eu l'impression de retrouver les vestiges d'une enfance imaginaire.

La Ligne Verte représentait la peur, l'aliénation et le bannissement de pans entiers de nos vies. J'expérimentai l'exil dans mon propre pays. Il me fallut habiter une nouvelle maison, trouver une nouvelle école et me faire de nouveaux amis. L'enfance que j'avais connue et aimée prenait fin, non pas de façon naturelle mais violente et irrévocable. Dès 1976, toutes nos maisons avaient été bombardées. Il n'y aurait pas de retour en arrière. Il me fallut grandir très vite. Les jours heureux étaient terminés. À l'insouciance et à la convivialité se substituait un sentiment d'appréhension constante et de méfiance généralisée.

Du jour au lendemain, mon père se changea en chef de guerre. Chaque jour nous apportait à domicile des nouvelles de mort et de carnage. La maison était pleine d'inconnus en tenue de combat, transformée en centre opérationnel pour les activités militaires. La haine a pris racine dans notre salon où chaque moment était occupé à cracher sur l'ennemi. Il était devenu si facile de haïr. Nous le faisions avec un naturel et une férocité qui m'étonnent aujourd'hui.

La vie se présentait désormais en noir et blanc. Chaque épisode de violence dans lequel nous étions impliqués renforçait notre positionnement et nous durcissait intérieurement. Il n'y avait aucune place pour la compréhension, tout était fondé sur la réaction motivée par la vengeance. Nous entretenions une fable : un seul camp avait toujours raison et l'autre tort. Aucun terrain d'entente n'était imaginable. Seul subsistait le désir d'éliminer l'autre. Les notions de bien et de mal étaient détournées au profit de notre camp. Toute sagesse, qui aurait permis de négocier une trêve, avait disparu. Il ne restait plus que la volonté de détruire, d'anéantir. Les morts ennemies étaient brandies comme des trophées, objet de toutes les vantardises. Nos propres pertes étaient considérées, elles, comme autant d'affronts qui appelaient de nouvelles déclarations de haine et de guerre. Pour les deux camps, l'adversaire n'était plus un semblable. On lui déniait toute humanité pour pouvoir le tuer plus facilement et sans pitié.

L'entourage de ma famille révélait soudain un visage impitoyable et sanguinaire. Mon père aussi avait changé du jour au lendemain. Il était passé de l'état d'ingénieur civil à celui de commandant chargé de toutes les opérations militaires d'une grande partie de la communauté chrétienne.

Il y avait toujours eu des armes à la maison, mon père, comme mon grand-père, Camille, étant des chasseurs passionnés. Je me souviens que, petite fille, je me faufilais avec mes amis dans son bureau pour leur montrer la cachette où ils gardaient leurs fusils automatiques. Je me rends compte maintenant du risque que je prenais mais ces armes exerçaient sur moi une vraie fascination. Dès l'âge de huit ans, j'en savais assez sur les munitions et le chargement d'un fusil pour éviter tout incident et la sensation de tenir une arme à feu était suffisamment puissante pour me pousser à violer les règles de mon père et à faire à mes amis la grande faveur de leur dévoiler cet arsenal.

En un sens, je ne valais pas mieux que les autres. À tous, la guerre nous est d'abord apparue comme un jeu. Nous n'avions aucune idée des dégâts à long terme entraînés par nos actes. C'était excitant et passionnant. Nous étions inconscients, mus par des convictions totalement dévoyées et je n'arrive même plus à comprendre comment nous avons pu succomber à une illusion pareille. Mais là encore, tout le monde était contaminé par la haine et le désir de vengeance. C'était une question de survie. Ou nous embrassions la haine ou nous nous faisions tuer.

Vouloir la guerre relevait d'un manque total de conscience individuelle et collective. Nous étions prisonniers d'un engrenage que nous avions nous-mêmes fabriqué. Nous accusions les autres d'être responsables de la situation quand celle-ci n'était que le résultat objectif d'une volonté de désordre partagée par tous les protagonistes. À l'époque, tous les partis se sont jetés dans la guerre sans même en envisager les résultats. Le pays était assoiffé de sang. C'est cette soif qui présidait à toutes les décisions, poussait à détruire et à tuer gratuitement. Elle a fait traîner le conflit pendant deux décennies et transformé un égarement temporaire en une terrible tragédie nationale et individuelle. Il n'y avait pas de demi-mesures, pas de raisonnements, aucun désir non plus de dépasser les symptômes pour traiter la cause réelle du problème.

Les événements qui ont démarré, avec tant d'inconscience, au Liban en 1975, ont créé une réalité dont tout le pays reste encore confondu aujourd'hui. En règle générale, au cours de cette période des années 1970, j'ai senti tous les politiciens libanais incapables de gérer la situation et d'empêcher l'escalade de la guerre. Il y avait trop d'intérêts en jeu. Les Palestiniens et les partis de gauche voulaient aggraver la situation afin de prendre le contrôle. Les musulmans restaient déchirés entre deux loyautés, à leur pays et à leur foi, ce qui a permis à d'autres pays arabes d'exploiter leur faiblesse.

Les Syriens manipulaient toutes les parties, s'impliquant dans les discussions pour le maintien de la paix entre les factions libanaises tout en fournissant des armes aux Palestiniens et en les entraînant à la guérilla.

Il n'existait aucun dénominateur commun autour duquel rassembler toutes les parties. Chaque groupe avait sa propre solution idéale pour le pays : nationalisme, socialisme, séparatisme, partition, annexion du Liban par les Palestiniens, les Syriens ou les Israéliens. À chacune ses partisans avides qui ont contribué tous ensemble à déchirer la nation.

Il faudrait vraiment regarder le Liban comme une expérience faite par l'humanité, d'une société réunissant en son sein la majorité des confessions religieuses du monde. Pendant longtemps, elles ont su coexister et le pays a prospéré. C'est la pluralité de cette nation qui fait sa richesse. Le Liban a été et demeure un pont entre les cultures, orientale et occidentale, et cela à un moment où la mondialisation change la donne. Il est temps que nous prenions conscience de notre interdépendance et de la nécessité de collaborer si nous voulons survivre.

La Constitution libanaise est un étonnant condensé de tolérance religieuse. Et pourtant, contrairement à Israël, le Liban n'est pas une nation religieuse. Il est à la fois laïc et religieux. Les textes prévoient un équilibre délicat du pouvoir entre les différentes confessions *via* la répartition des sièges parlementaires et des postes gouvernementaux entre leurs groupes.

Mais au fil du temps, la croissance démographique inégale des communautés musulmanes et chrétiennes a créé, d'un côté, une donne idéale pour l'exercice de la coexistence et, de l'autre, un équilibre plus difficile à conserver, ce qui pousse régulièrement les diverses composantes de la nation à reprendre le sentier de la guerre.

Ce n'est pas la capacité de vivre ensemble qui fait défaut mais la volonté de le faire. Le problème ne réside pas dans la Constitution mais dans la folie des individus qui se croient au-dessus d'elle. Malheureusement, encore aujourd'hui, la mentalité des politiques est moins au désir de coexistence qu'au service mesquin des propres intérêts de chacun.

À l'époque de la guerre du Liban, on voyait encore le monde comme une juxtaposition d'entités disparates et isolées sur lesquelles il était permis d'agir, sans conséquences pour l'ensemble. Si l'on regarde, par exemple, les événements qui ont débuté en 1917 avec la Déclaration Balfour – qui donnait au peuple juif le droit à un État d'Israël en Palestine –, on constate que ce choix continue d'influencer aujourd'hui l'histoire du monde, à travers la naissance et la propagation du terrorisme.

La dernière guerre des États-Unis contre l'Irak offre un autre exemple des conséquences de cette politique interventionniste. La cascade d'événements qu'elle a provoquée a modifié l'histoire. L'idée même d'une intervention militaire circonscrite est une illusion totale qui témoigne d'une piètre compréhension des effets à long terme engendrés par toute action violente. Sur le plan humain, il n'y a pas de gagnants dans les guerres et il en sera toujours ainsi.

L'image persistante du chaos, la souffrance transmise en héritage aux générations suivantes : tels sont les vrais sous-produits de la guerre. Ces destructions programmées par opportunisme laissent toujours des cicatrices, parfois si profondes et douloureuses qu'elles sont impossibles à guérir. Elles se changent en tragédies sans fin, auto-perpétuées par un besoin de vengeance et de représailles, qui alimentent la haine pour de nombreuses générations. À moins que le cycle ne soit rompu par une volonté profonde de mettre fin à la souffrance et de lutter contre la haine par la tolérance.

Défaire ce qui est fait
Effacer ce qui est vu
Nulle part où se cacher,
Rien à faire,
Sauf se laisser glisser
Dans la confusion
Où l'esprit se noie d'illusions

Nos vies insignifiantes
Née dans l'obscurité
Je ne peux me rappeler
Du lieu sacré
Avant d'avoir chuté
Sur ce rivage oublié

Extrait
« Nulle part où se cacher »

2.

Dès le début de la guerre, je cessai d'aller à l'école. Je restai enfermée une année entière dans notre appartement que les roquettes et autres obus de mortier survolaient tous les jours. Nous vivions au dernier étage d'un immeuble exposé à tous les tirs. Ma mère avait choisi cet appartement parce qu'elle adorait son immense terrasse. Nous avions une vue dégagée sur les montagnes à l'est et sur Beyrouth à l'ouest. Elle ne se rendait pas compte que cette vue augmentait considérablement notre vulnérabilité aux échanges de feu incessants des belligérants.

J'ai vu souvent, en bas, des hommes masqués gesticuler avec leurs fusils et se cacher dans l'ombre de l'immeuble, en plein combat de rue. Un jour, je me penchai trop du balcon et un homme me repéra. Il fit immédiatement feu, droit sur moi d'une rafale de fusil mitrailleur. Les balles sifflaient en passant près de mes oreilles. Je battis en retraite à toute vitesse. Mon père, qui avait entendu les détonations, se rua sur le balcon et se mit à hurler des obscénités à l'homme en dessous qui tirait toujours dans notre direction et finit par partir en courant, ayant sans doute conclu que mon père était complètement fou !

Mon père n'avait jamais peur. Il n'avait aucun sens du danger. Il a trouvé sa vocation sur le champ de bataille. C'était un commandant né qui a pris toute sa dimension dans la crise. Avoir des qualités de chef était une des premières conditions requises pour survivre alors. La guerre a donné à mon père la possibilité d'exprimer sa vraie nature. Comme l'a dit Shakespeare : « Certains naissent grands ; d'autres parviennent à la grandeur, et il en est que la grandeur vient chercher elle-même. » Mon grand-père était parvenu à la grandeur. Elle est venue chercher mon père.

Il n'en reste pas moins que ce changement radical de notre mode de vie exigea de nous tous des efforts d'adaptation considérables et eut des conséquences néfastes. Car ma famille était devenue une chose publique, objet d'amour ou de haine pour les gens. Mon père était soit adoré soit détesté et comme je portais son nom, je me heurtais aux mêmes préjugés partout où j'allais. C'est encore le cas aujourd'hui. Certains auraient pu mourir pour lui et mon grand-père tandis que d'autres se seraient fait une joie de les tuer tous les deux.

Un jour, c'était au début des combats, suite à mes demandes incessantes, mon père me laissa enfin l'accompagner dans ses tournées. Il y avait eu des problèmes dans le quartier chrétien d'Ein El Remmaneh la nuit précédente. Mon père voulait vérifier l'état de ses hommes en faction dans un bunker sur la ligne verte. Il grimpa dans un véhicule blindé et je le suivis. Nous fîmes route à grand fracas vers la ligne de front. Le blindé stoppa dans une allée. Mon père bondit hors du véhicule en m'ordonnant de rester très près de lui.

Je n'hésitai pas, longeant les murs derrière lui, m'aplatissant sur le sol quand il se mit à ramper. Je le vois encore se retourner vers moi en souriant nerveusement, inquiet de savoir si j'arrivais à me débrouiller. Je réussissais à lui rendre des sourires grimaçants tant j'avais les dents serrées. À un moment, nous entendîmes le staccato d'un fusil mitrailleur au-dessus de nos têtes. Je fermai les yeux une fraction de seconde attendant la balle qui allait me toucher.

Finalement nous arrivâmes aux tranchées où le moral des hommes était bon. C'était vraiment un milieu d'hommes. Je me sentis gauche et toute petite. La pièce était nue, sombre, entourée de sacs de sable qui rendaient l'atmosphère poussiéreuse. Des boîtes de munitions servaient de sièges et de tables. De vieilles couvertures gisaient sur le sol avec des restes de sandwiches desséchés. L'odeur de poudre, jointe à celle des douilles, répandait dans l'air un parfum de métal caractéristique. La lumière du soleil filtrait à travers les interstices des sacs de sable comme des rayons de particules et distillait dans la pièce un sentiment de paix. De toute évidence, l'endroit était dédié à l'attente et à l'observation. Je regardai avec curiosité par l'une des meurtrières et aperçus une rue déserte, aride et inhospitalière. L'asphalte de la route avait fondu sous la chaleur. Au loin, un feu tricolore fonctionnait tout seul, ne marquant

44

plus de son rythme – vert, orange, rouge... – que la division entre deux secteurs en guerre.

L'air était lourd, chargé de peur et d'un silence oppressant. Il y eut soudain une explosion stridente, suivie du martèlement des balles qui claquaient dans les sacs de sable autour de nous. Je bondis hors de mon poste d'observation, le visage blême, et mon père m'engueula vertement pour m'être tenue trop près du mur extérieur.

Très vite, après cet incident, il jugea plus raisonnable de me ramener à la maison avant que je ne me mette encore en danger. Il y installa un émetteur radio et m'en confia la responsabilité. Je pense que c'était une façon de me laisser à l'abri tout en m'occupant. Mon travail consistait à transmettre les messages de mon père à mon grand-père et à recevoir les informations des commandants de la milice sur leurs allées et venues. Toutes les voitures étaient équipées d'une radio. C'était avant les téléphones cellulaires. On communiquait par noms de code, Kojak, 007, Hassan, etc. Le mien, en arabe, était *Im El Dahab*, qui signifiait « mère de l'or », en raison de mes cheveux blonds.

Par moments, les changements survenus dans ma vie me semblaient trop incroyables pour être vrais. Il m'était difficile de suivre l'émergence des différentes factions qui scindaient le pays et j'étais trop jeune pour vraiment comprendre les méandres de la situation politique. J'étais bien plus préoccupée par les ajustements auxquels me contraignait la violence qui avait fait irruption dans mon quotidien.

La plupart de mes amis masculins prirent les armes et beaucoup d'entre eux furent tués. Je passais mes journées à panser des blessures. Il me semblait que les portes de l'enfer s'étaient ouvertes. Voir des atrocités devint une chose banale. Notre sensibilité était faussée et notre seuil de tolérance à la souffrance complètement reconfiguré.

Certains de mes amis, adolescents comme moi, devinrent francs-tireurs. Ils sortaient de chez eux avec leur fusil longue-portée pour aller tuer un malheureux passant dont le seul tort était d'être du mauvais côté de la ligne de démarcation. C'était pareil dans l'autre camp. Nous attendions chez nous, nerveusement, de savoir si oui ou non leur mission avait été couronnée de succès. Quand je repense à notre dureté d'alors, elle me fait l'effet d'une vision d'horreur.

Barrages routiers aléatoires et meurtres au faciès étaient monnaie courante. Dans les deux camps, des hommes armés arrêtaient les voitures, vérifiaient la religion des passagers portée sur leurs papiers d'identité et, si celle-ci n'était pas conforme, les enlevaient ou les tuaient. À un moment donné certains de nos hommes capturèrent Walid Joumblatt, le fils du leader druze. Ils l'enfermèrent dans une caisse. Ils voulaient le tuer.

La réaction de mon père fut violente, il assura personnellement la libération de Walid. Cette action eut pour effet de sceller une amitié contre nature au cours des décennies de guerre qui suivirent. À différentes occasions, elle permit d'atténuer l'escalade de la violence et de donner une chance à la réconciliation. Ce jour-là, comme souvent, mon père choisit la paix plutôt que la violence. C'est ce qui le distinguait dans cette guerre brutale. Cependant, la guerre progressant, il ne fut pas épargné non plus par une forme de déshumanisation engendrée par tous ces meurtres.

Les premiers jours de la guerre furent marqués par d'intenses bombardements croisés dans des zones très peuplées. Une nuit, cachée dans le couloir, je comptai jusqu'à trois mille explosions de roquettes. J'étais devenue experte et savais faire la différence entre un obus sortant et un obus qui arrivait sur nous, rien qu'en écoutant leur sinistre sifflement quand ils passaient au-dessus de nos têtes.

Un des dirigeants de l'OLP, Abou Hassan, qui était le responsable du massacre des athlètes israéliens à Munich, inaugura le quatrième round des combats en tirant une roquette droit sur notre appartement. C'était un message personnel adressé à mon père. Il fut suivi d'un coup de fil. L'obus rasa la tête de ma grand-mère qui nous faisait des signes du balcon, à ma mère et moi, dans la rue. Nous revenions de l'épicerie. La roquette explosa dans l'immeuble d'à côté, qui était celui de ma meilleure amie. Cet événement me fit réaliser que l'implication directe de ma famille à de nombreux niveaux, en politique comme dans les combats, donnait à cette guerre un tour très personnel. J'en ai fait les frais durant toutes les années qui ont suivi.

À l'âge de quinze ans, j'effectuai ma formation militaire. Vivant seule à la maison avec ma mère, je ressentais le besoin de nous protéger. Mon père était sur le front. Nous ne savions jamais s'il en reviendrait. Les Tigres avaient installé un camp d'entraînement dans les collines surplombant la Méditerranée paisible. J'y suivis une session de dix jours avec deux autres filles et plus d'une centaine d'hommes. Nous vivions comme des animaux avec très peu de nourriture, l'eau potable était rationnée. Soyons sincère, ce fut horrible. Mais j'appris à démonter une mitrailleuse et à dégoupiller et regoupiller une grenade sans paniquer.

Ma mère et moi avons été chassées par les bombes de trois maisons différentes. Pendant des années, nous avons vécu comme des réfugiées, souvent sans électricité, squattant des maisons abandonnées ou des maisons de fortune. Nous partîmes finalement nous installer dans la région majoritairement chrétienne de Jounieh, au nord de Beyrouth. Et je repris le chemin de l'école.

Ma scolarité fut gâchée par le spectacle de camarades qui paradaient avec des trophées de guerre : des morceaux de roquettes, des balles, et même une fois, une oreille arrachée. Il me fallut aussi subir les arrêts réguliers du bus scolaire auprès de corps carbonisés qui avaient été jetés sur le bas-côté, afin que chacun puisse bien les voir.

À peu près à ce moment-là, les milices chrétiennes mirent toute leur puissance de feu à débarrasser leur secteur des camps palestiniens de Tell el Zaatar et de la Quarantaine. Le siège fut violent et fit près de trois mille cinq cents morts. J'entendis des histoires horribles pour un enfant. Mais il n'y avait aucune compassion dans mon cœur. Je baignais moi-même dans la logique tordue de la guerre où l'ennemi est étiqueté mauvais, et je le croyais aveuglément. Nous avions faim de vengeance et de victoires. Je ne fus pas impliquée dans ces combats mais travaillai, à la place, à l'hôpital de Jounieh où étaient évacués la plupart des blessés chrétiens. Un ami proche, Freddy, fut tué dans la bataille de Tell El Zaatar et un autre, George, y perdit une jambe. Tous deux étaient membres de la première heure des Tigres et avaient toujours combattu aux côtés de mon père.

Des ruisseaux de sang coulaient dans les couloirs de l'hôpital, des corps gisaient partout. Il n'y avait pas assez de chambres pour faire face à la demande et on avait installé des lits de fortune dans les halls. Hommes, femmes, enfants, tous gémissaient, pleuraient. Ils avaient peur et mal. Certains étaient seuls tandis que d'autres étaient entourés par leur famille, ce qui ne faisait qu'augmenter le malheur général. Au fil des jours, loin de s'améliorer, la situation empirait. Ma mère et moi rendions visite aux blessés et aux familles des victimes.

Quand la bataille des camps fut terminée, ma meilleure amie et moi réussîmes à convaincre nos mères de nous y conduire pour voir le carnage. La mort était partout. Je reconnus l'odeur douceâtre de la chair en décomposition. En marchant dans les ruines, je tombai sur le corps carbonisé d'un homme. Sa chair avait viré au brun et luisait sous le soleil, comme de la boue mêlée à la terre. Je le regardais et tout d'un coup je sus dans mon cœur que quelque chose s'était brisé à jamais en moi. Je pouvais regarder la mort avec une telle dissociation que le fait qu'on ait pris une vie ne comptait pas. Rétrospectivement, je sais qu'une partie de moi est morte ce jour-là.

Nous visitâmes également le cimetière car on avait jeté les victimes dans les caveaux. La puanteur qui s'en dégageait était à la fois douceâtre et putride. J'eus un haut-le-cœur et relevais mon T-shirt pour couvrir mon nez et ma bouche. Pourquoi faisais-je cela ? Je ne le savais même pas. Cela tenait à la fois d'une attirance morbide et du désir de me montrer courageuse. De jeunes garçons nous avaient rejoints dans ce qui semblait être le jeu du moment. C'était à qui oserait pousser le premier la porte et regarder à l'intérieur. Ils s'applaudissaient.

Alors que l'un d'eux venait de le faire, une odeur encore plus immonde envahit nos narines. Je reculai, puis attirée par les cris de tous les autres enfants qui partaient en courant dans tous les sens, je me penchai en avant pour regarder à l'intérieur du caveau. Je vis des dizaines de corps jetés les uns sur les autres, des bras, des jambes, des têtes, des chairs flasques et démembrées qui gisaient dans toutes les poses.

C'est Gandhi qui a dit « Un œil pour un œil laissera le monde entier aveugle » et ça n'a jamais été plus vrai qu'en ces jours-là. La violence engendrait plus de violence dans une escalade sans fin. Chaque raid appelant des représailles déclenchait le cycle infernal qui dura plus d'une décennie.

L'attaque suivante vint des Palestiniens. Une fois encore, elle était dirigée contre ma famille, cette fois-ci contre la maison de mon grand-père et son village de Damour au sud de Beyrouth. Ils mirent le village à sac, tuèrent environ deux cent cinquante de ses habitants et chassèrent les autres. Assiégé dans sa somptueuse résidence, mon grand-père y resta piégé pendant dix jours, ainsi que mon père et les villageois qui étaient venus y chercher refuge.

Beaucoup de nos hommes furent tués dans cette bataille. Mon père et mon grand-père s'échappèrent dans un petit bateau au milieu de la nuit. Les combattants palestiniens entrèrent dans notre maison et pillèrent toute la vie de mon grand-père, emportant des biens irremplaçables comme les peintures de ma chère grand-mère défunte, ainsi que son inestimable collection de fusils de chasse, dont certains aboutirent, des années plus tard, dans le bureau de Yasser Arafat en Palestine.

Mais le pire pour moi fut de voir anéantis les rires et la joie qui étaient attachés à cette maison de famille. À leur place, il n'y avait plus qu'une terre brûlée qui témoignait des actes de barbarie perpétrés. Je sus alors que rien ne serait plus jamais comme avant. La désintégration de ma famille et de nos biens avait commencé pour de bon. La guerre était plus qu'un phénomène passager. Les dommages qu'elle engendrait seraient irréversibles.

Je fus parmi les premières à recevoir les réfugiés de l'exode en provenance de Damour. Ils affluaient dans le port chrétien de la ville de Jounieh, malheureux, perdus et en état de choc. J'avais fait pression sur mon école pour qu'on

53

nous accorde un bus. Nous voulions nous rendre au monastère où étaient hébergées les victimes et dispenser quelques soins et de la nourriture à ces gens qui en avaient gros sur le cœur. Une fois de plus je touchais du doigt à quel point leur sort était intimement lié à celui de ma famille.

En 1976, l'armée libanaise s'effondra après une tentative de coup d'État manquée, menée par un officier musulman dont la seule réussite fut de parvenir à diviser les rangs en ralliant deux mille soldats musulmans à sa tentative.

Les relations entre la Syrie et le Liban connurent alors un tournant majeur. Hafez El-Assad, le Président syrien, qui avait soutenu jusque-là les gauchistes panarabes et l'OLP, leur fournissant de l'artillerie lourde et bombardant le secteur chrétien, changea de camp tout d'un coup avec l'approbation des États-Unis et le consentement du président libanais Sleimane Frangié. Son armée franchit nos frontières le 31 mai 1976 pour se ranger du côté des chrétiens, transformant de fait le Liban en protectorat syrien.

Les Syriens prirent rapidement le dessus sur leurs anciens alliés socialistes et palestiniens.

Mais le coup d'envoi était donné à une lutte de longue haleine contre les intérêts syriens et leur domination dans le pays.

En bon Syrien, Hafez El-Assad avait toujours soutenu que la création et l'indépendance du Liban étaient une aberration résultant du mandat français et de l'accord Sykes-Picot qui entraîna la répartition aléatoire de la région entre les deux protectorats, britannique et français. Assad avait une autre idée géopolitique de la région. Pour lui, le Liban faisait partie intégrante du croissant fertile qui s'étend géographiquement entre la chaîne du Taurus au nord, le fleuve Euphrate à l'est, le désert d'Arabie au sud et la Méditerranée à l'ouest.

À cette époque, j'avais seize ans et j'étais déjà amère et révoltée contre la vie. De jeunes miliciens avaient accidentellement tiré sur la voiture de la mère de ma meilleure amie à un poste de contrôle alors qu'elle rentrait d'un dîner. La balle lui laissait tout le bas du corps paralysé à vie. Ce fut un choc terrible pour moi, et je me sentis écrasée par l'absurdité de la vie. J'étais en colère contre Dieu. Je n'arrivais plus à comprendre comment sa Toute-Puissance pouvait s'accommoder de tant de douleurs et de souffrances.

C'était inconcevable et je me rebellais contre cette idée de tout mon être. Confrontée à tout ce que l'humanité pouvait avoir de destructeur, je ne comprenais pas, à cette époque, que le danger vient de notre libre arbitre et du pouvoir donné à chacun de créer le bonheur ou l'enfer sur terre. Et je condamnais ce monde abandonné par Dieu pour toute la souffrance dont j'étais chaque jour le témoin.

J'étais en pleine déroute existentielle. Mais j'avais été élevée pour survivre à tout prix. Palestiniens, Syriens, communistes, druzes ou pro-arabes, tous faisaient partie d'un formidable tsunami qui menaçait notre mode de vie et nous, chrétiens, n'avions pas d'autre choix que de nous réfugier dans nos enclaves avec nos armes et nos certitudes.

Les politiques jouaient leurs jeux tortueux et les jeunes combattants, fils, frères et maris mouraient exactement de la même façon des deux côtés. Ils mouraient dans un sursaut de peur et de haine. Ils mouraient pour des croyances qui étaient des mirages dans le désert, des croyances et des allégeances qui changeaient avant même que leurs corps martyrisés ne soient raidis. Ils mouraient courageusement, inutilement, et tristement.

Ceux d'entre nous qui survivaient à la mort physique mouraient d'une autre façon, pire : d'une mort de l'âme, une mort si virulente qu'elle empoisonne la vie à jamais. Nous survivions en persévérant mécaniquement dans la folie que nous avions créée. La guerre s'étendait et la destruction engloutissait notre pauvre petit pays.

D'un quartier à l'autre, les immeubles grêlés d'impacts portaient les cicatrices de la tuerie collective programmée. Les éclats d'obus mutilaient leurs façades laissant la trace de la mort dans chaque rue. Les gens vivaient dans des taudis et des maisons calcinées sans électricité, sans eau ni sanitaires. La nation coulait, de plus en plus profondément, dans un océan de ténèbres. La guerre civile s'était installée parmi nous et, malgré notre volonté de l'empêcher, nous continuions à l'alimenter. Comment aurait-elle pu avoir une fin ?

Il aura fallu dix-huit ans pour trouver une solution temporaire et un compromis instable. Mais dans ces premières années, la guerre civile engendra une génération de combattants belliqueux occupés à propager le chaos et à le perfectionner. Les milices de tous bords passèrent d'une violence d'amateurs au crime organisé. Assassinats entre clans rivaux, prises de pouvoir brutales dans son propre camp, parfois au sein de sa propre famille, telles étaient désormais les pratiques quotidiennes de la nouvelle classe de dirigeants.

Ces jeunes gens réalisaient leurs petits gains politiques en asservissant les autres à leur cause, en les contaminant avec leurs propres idéaux fanatiques et sans issue. La contrebande, le racket et le vandalisme sous toutes ses formes constituaient alors les signes distinctifs d'une société qui redistribuait ses richesses à une nouvelle classe d'opportunistes. Les gens aisés et cultivés avaient fui le pays ou perdu leur fortune familiale, à présent entre les mains de squatteurs et de maraudeurs.

Ma famille, à sa manière, symbolisait toutes les pertes et les gains de la guerre. Le domicile familial de mon grand-père était détruit, cependant sa stature de vieux chef prenait de l'importance dans ce conflit désordonné. Nous avions perdu tous nos biens matériels – sous les bombes ou entre les mains des milices et des combattants palestiniens –, nous vivions comme des réfugiés quel que soit l'endroit où nous nous posions.

58

Mais mon père restait un roi parmi ses hommes et il n'y avait pas un seul de ses souhaits qui ne lui était accordé.

Au fond de moi je pressentais qu'il y avait autre chose dans la vie. Mais je n'arrivais pas à me projeter dans l'avenir. Le lendemain n'avait pas de réalité pour moi, à un âge où la vie est pourtant devant soi. C'est alors que s'imposa au plus profond de mon être l'idée que je devais partir, m'obliger volontairement à l'exil pour me donner une chance de vivre. Ce que je ne compris pas alors, c'est que cet exil allait devenir l'axe de toute ma vie.

Ce désir de quitter ma famille et mon foyer ne naquit pas de la peur de la mort, mais plutôt d'un besoin de vivre autrement, loin d'une folie sur laquelle je n'avais aucun contrôle. Je fis le choix d'explorer une autre façon d'être au monde qui ne soit pas fondé sur le préjudice, la violence gratuite et la haine en actes. Je me souviens de ce jour avec une grande netteté. Et pourtant je n'avais que seize ans.

C'était une belle journée. Profitant d'une pause entre les bombardements, je prenais un bain de soleil dans notre maison du bord de mer. Nous habitions alors au nord, dans le village relativement sûr de Safra, une petite bourgade

59

de pêcheurs, située entre le port chrétien de Jounieh et l'ancien port historique de Byblos. Soudain, je sus qu'il me fallait partir. Cette conviction intérieure explosa en moi sans crier gare comme si elle remontait du plus profond d'une conscience inconnue. J'allai voir ma mère et lui dis que je voulais poursuivre mes études à l'étranger, de préférence en Angleterre.

Mon attachement à l'Angleterre provenait de l'histoire de mes parents, de leur rencontre et de leur mariage. Quant à mon éducation au Liban, elle avait été jusque-là hachée et peu satisfaisante. J'expliquai à ma mère que je me sentais misérable dans cet environnement. À ma grande surprise, elle fut d'accord avec toutes mes demandes et m'assura qu'elle plaiderait ma cause auprès de mon père. Ce fut une tout autre affaire. Il commença par refuser toute discussion, affirmant que j'avais besoin de leur présence et que je serais trop loin. Je sentais combien il souhaitait me garder à la maison, mais finalement, après en avoir discuté avec mon grand-père, qui détesta lui aussi cette idée, il consentit à me laisser partir.

À seize ans, j'inaugurai donc un long processus de séparation d'avec mes proches et une vie qui serait à jamais déchirée entre les continents, entre

ma patrie et mes différentes maisons en Europe
et plus tard en Amérique. Je ne sais pas si je fis
le bon choix, ce fameux jour, en décidant de me
déraciner du Liban. Je ne sais pas non plus si on
a vraiment le choix ou si ces décisions sont déjà
prises à un niveau qui nous échappe. Sur le
moment, il me sembla que je faisais bien. Je
devais partir pour survivre, du moins pour préserver ce qui restait de moi-même.

Depuis ce moment, je me demande ce que
« chez moi » veut dire. Pour beaucoup, c'est
l'endroit où l'on est né ; pour d'autres, c'est celui
où l'on fait sa vie avec sa famille. Longtemps,
« chez moi » représenta pour moi un lieu de pure
nostalgie, peut-être même un retour à l'innocence, en somme une illusion inaccessible.

Même maintenant, il n'y a pas de retour possible. Quand je regarde le Liban d'aujourd'hui,
je sais que ce n'est pas le même. Pourtant c'est
bien lui. Il n'a pas changé. Mais il est complètement différent. La vérité, c'est que c'est moi
qui ai changé.

Quand je suis montée à bord du petit bateau
qui m'emmenait pour un voyage de neuf heures
jusqu'à Chypre, je ne réfléchissais certes pas à
tout ça. Au contraire, j'étais très heureuse de
sortir de ce qui était devenu ma prison. J'avais

61

soif de civilisation. En atterrissant à Londres avec ma mère, je fus impressionnée par l'énormité de cette ville et par le fait que tout y fonctionnait. Les feux tricolores étaient respectés, il y avait de l'électricité, de l'eau chaude disponible au robinet, les gens utilisaient les transports en commun et – c'était le meilleur de tout – les épiceries étaient pleines de produits frais.

Je n'avais plus goûté à ces facilités depuis bien longtemps et je pris conscience du prix que je payais en vivant au Liban. Néanmoins, on n'a rien sans rien, et les avantages de la civilisation eurent aussi un prix pour moi : la distance imposée avec ma famille et ma patrie.

Il n'était pas facile de se déplacer à Londres où je vivais seule dans une petite pièce louée chez des amis. J'allais à l'école mais je ne pouvais même pas lire ou écrire la langue, ayant reçu jusque-là une éducation française et arabe. J'étais très seule et je luttais pour me faire des amis car j'étais encore tout entière habitée par mon histoire et mon pays. Pendant longtemps, je n'ai pas vraiment pu parler d'autre chose, tant les événements qui avaient précédé cette étape de ma vie m'avaient marquée en profondeur. De ce fait, je n'avais que quelques amis, ceux qui savaient voir au-delà de la souffrance qui se lisait encore dans mes yeux.

Quand je repense à mes années d'adolescence, je réalise que j'étais comme un tigre en cage, emprisonnée dans un monde halluciné, incapable de m'en échapper. J'avais été abîmée dès le premier coup de feu. Nous l'avions tous été. Tout ce que j'avais vécu m'avait déjà exilée du reste du monde civilisé. Je me sentais comme un paria. J'ai eu ce sentiment toute ma vie.

Il y a une part de moi qu'il m'est impossible de partager. Je suppose que la plupart des anciens combattants ont ce sentiment. Aujourd'hui, on lui a donné un nom, syndrome de stress post-traumatique ; à l'époque il n'en avait pas. C'était juste un malaise existentiel que des écrivains comme Sartre ou Camus ont très bien su rendre, eux qui sortaient de la folie de la Seconde Guerre mondiale avec leurs vies en lambeaux. Ils ont parfaitement exprimé le clivage qui se produit entre le monde normal et ceux qui ont connu l'horreur qui dépasse la compréhension ordinaire.

Il y a un seuil dans la douleur qui la rend incommunicable à celui qui ne l'a pas vécue. Plus encore que la douleur du deuil, c'est celle qui naît de la connaissance irréversible de la noirceur du cœur des hommes et de la bassesse de leurs actes. C'est la conscience que toutes les limites de la cruauté humaine ont été dépassées et qu'on ne reviendra pas en arrière. Et celle, profonde, de la fatalité de nos destins et de l'inanité de nos vies vouées à la conquête et à la guerre.

Pendant des années, cette prise de conscience a vidé la vie de son sens et me l'a rendue, à un certain degré, insupportable. Je transportais une ombre qui, inconsciemment, m'interdisait de prendre part à tout ce que la vie pouvait avoir de léger. J'étais retenue par ce que je savais. Avec le temps, cette connaissance s'est révélée être à la fois ma faiblesse et ma force car je lui dois l'exigence la plus difficile de mon existence : avoir eu à surmonter la méfiance et la peur pour réunifier l'être fragmenté que j'étais.

Mon exil volontaire à Londres fut aussi nécessaire que difficile. Ce fut un temps d'apprentissage et d'études, un temps pour comprendre et exprimer les conflits qui troublaient mon cœur. La guerre faisait toujours rage au Liban. Je menais une double existence, l'une loin des bombes dans un monde ordonné, et l'autre dans laquelle je me glissais automatiquement quand je rentrais chez moi en vacances, aussitôt aspirée dans le gouffre de la violence.

Plus tard, j'étais alors dans ma vingtième année, mes deux mondes entrèrent à nouveau en collision avec fureur. Je faisais mes études à l'université de Londres et j'étais retournée au Liban pour mes vacances d'été habituelles. Je trouvai à la maison ma famille prise dans un nouveau conflit armé dont elle était la cible directe. Il était dû à une trahison terrible qui allait avoir un impact considérable sur ma jeune vie.

Réclame ta puissance
Refuse de céder de trembler
Devant les croyances
Qui asservissent
Parfois anéantissent,
Occupent et angoissent
Justifiant les guerres
Et les dirigeants erronés
Voulant dominer
Les foules infortunées.

Extrait
« Les Quêteurs »

3.

Sur le plan régional, les Palestiniens avaient le champ libre dans le Sud du pays et, en dépit de la formation de l'Armée du Liban Sud, l'OLP menait sur les frontières d'Israël des attaques implacables et continues.

Oubliées du monde occidental, les milices chrétiennes, désespérant de trouver des armes, se tournèrent vers Israël pour qu'il lui en fournisse. L'État d'Israël, dirigé alors par Menahem Begin, ne fut que trop heureux d'accéder à leur demande. Begin considérait les chrétiens du Liban comme des alliés naturels d'Israël et voyait d'un très bon œil la formation d'un État chrétien sur sa frontière Nord qui installerait une zone tampon importante pour la protection de son pays.

Le temps passant, le gouvernement israélien de Menahem Begin se montra de plus en plus actif et exigeant à l'égard des différents leaders chrétiens. Begin mit mon père sous pression pour le pousser à coopérer davantage. Mon père refusa et lui envoya une lettre expliquant qu'il n'était prêt à le faire que dans la mesure où cela ne mettrait pas en péril l'autonomie et la souveraineté du Liban.

Dans leur message en retour, les Israéliens firent savoir qu'ils n'étaient « pas amusés » par son attitude. Mon père répondit avec désinvolture que, la dernière fois qu'il avait entendu cette expression, c'était dans la bouche de la reine Victoria. Après cet échange, leur relation se détériora et les dirigeants israéliens firent alors le choix de mettre Béchir Gemayel à la tête de la communauté chrétienne.

Cela supposait que mon père ne soit plus un obstacle. Les dés étaient donc jetés et tout fut fait pour mettre le destin de Béchir en marche. Il s'agissait là d'un préambule nécessaire à la future invasion de 1982, quand Israël aurait besoin d'un allié chrétien solide pour consolider le flanc nord de sa stratégie guerrière.

Des années auparavant, en 1976, mon grand-père, dans un souci de réunification, avait fondé le Front Libanais qui rassemblait les divers groupes politiques chrétiens sous une même bannière. En 1980, il avait imaginé la création d'une branche militaire du Front qui regrouperait toutes les milices et serait appelée les « Forces Libanaises ».

Elle ne vit jamais le jour sous cette forme car Béchir et son parti phalangiste s'en saisirent pour servir leurs intérêts personnels. Mais dès le départ, Béchir et mon père Dany, tous deux charismatiques, s'en disputèrent la tête.

Béchir Gemayel, fils cadet de Pierre Gemayel, faisait preuve depuis le début de la guerre d'une ambition sans égale. Il voulait être l'incarnation du nouveau Liban. Je l'ai rencontré plusieurs fois et l'ai trouvé audacieux et très à l'aise. C'était un homme extrêmement pressé, toujours en état d'alerte. Ses doux yeux noirs étaient trompeurs. Il avait la détermination inébranlable de celui qui a une vision claire de son destin personnel. Il n'aurait reculé devant rien pour le réaliser. Il travailla fermement à son succès et cette marche en avant, alimentant son charisme, le rendit de plus en plus irrésistible aux yeux des jeunes combattants chrétiens. Il incarnait leur rêve d'un État souverain et d'une résurgence de la communauté maronite au Liban.

Je me souviens de plusieurs repas de famille au cours desquels fut évoquée l'éventualité que Béchir prenne la tête des Forces Libanaises. Mon père affirmait qu'il ne convoitait pas le titre et demeurait inflexible sur ce point. Il n'était, disait-il, intéressé ni par la politique ni par le commandement des Forces Libanaises.

Au même moment, les combats entre les deux milices chrétiennes s'intensifiaient, les Ahrars constitués des hommes de mon père, et les Kataëbs de ceux de Béchir, commençaient à devenir incontrôlables. Jusque-là il n'y avait eu que des accrochages sporadiques.

À plusieurs reprises, je me suis trouvée avec mon père au moment où il apprenait que nos hommes étaient pris pour cible. Très en colère, il appelait alors Béchir pour lui demander de discipliner ses hommes. La lutte pour le commandement du secteur chrétien ne servait qu'à exacerber les tensions entre les deux clans. À se répéter trop souvent, ces échanges conflictuels ont fini par mettre fin à toute communication entre eux.

70

Durant la semaine de Pâques 1980, les Kataëbs lancèrent une attaque violente mais sans succès contre notre milice et notre maison. Je passai mes vacances barricadée et confinée à l'intérieur. Les Kataëbs firent le siège de notre résidence durant cinq jours, en coupant tous les approvisionnements. La sixième nuit, une fusillade éclata et l'un des gardes qui patrouillait autour fut touché au front par une balle. Ses compagnons le traînèrent à l'intérieur de la maison et le couchèrent sur le sol. Il n'y avait pas de médecin sur place et ma mère et moi lui administrâmes les premiers soins. Le sang jaillissait de son crâne ouvert. Je pouvais voir son cerveau. Nous ne savions pas s'il allait vivre ou mourir. Il frissonnait d'une façon incontrôlée. Nous le recouvrîmes de couvertures. Il eut soudain un spasme violent et vomit sur moi.

Dans l'intervalle, certains de nos hommes avaient réussi à sortir de la maison pour aller chercher de l'aide. Le nombre de blessés ne cessait d'augmenter. Mon père travaillait sans relâche à trouver une solution qui permette d'établir un cessez-le-feu. Il était furieux contre Béchir qui avait laissé les combats s'intensifier à ce point.

71

Quand le cessez-le-feu fut décidé, nous transportâmes les blessés dans un hôpital voisin. Une fois qu'ils furent tous partis, baissant les yeux sur mes vêtements, je vis que j'avais des restes de chair et du cerveau du jeune combattant coagulés sur mon jean. Où allait donc ce monde ?

Le lendemain, des prêtres maronites ayant organisé une médiation entre mon père et Béchir, celui-ci vint à la maison pour une rencontre de réconciliation. Je me souviens très clairement de cette visite. Il était jovial et courtois. Tout semblait aller bien, de nouveau, entre lui et mon père.

Peu de temps après cet incident, je rentrai en Angleterre poursuivre ma scolarité. À peine deux mois plus tard, j'étais de retour. Dès le premier jour, Béchir Gemayel lança une attaque massive sur notre maison et notre village. Cette fois, il ne reculerait devant rien pour s'emparer du contrôle de la zone chrétienne.

Il avait programmé cette opération depuis la dernière attaque et entraîné ses miliciens avec l'aide des Israéliens. Elle eut lieu le 7 juillet 1980. Des chrétiens se retournèrent contre d'autres chrétiens dans ce qui allait rester l'un des pires épisodes de la guerre du Liban, quoique l'un des moins documentés. Il fut surnommé par la suite

« La nuit des longs couteaux » en référence à un acte de trahison similaire. C'était en 1934, juste avant la Seconde Guerre mondiale. Le régime nazi assassina en une nuit plusieurs figures emblématiques des factions de son propre parti ainsi que des membres des SA, ses groupes para-militaires.

C'est triste à dire mais Béchir ne fut pas étranger à ce type de meurtres intra-communautaires. Au début de la guerre civile, alors qu'il était à la tête du Parti Kataëb, il fut tenu pour responsable de l'assassinat de Tony Frangié, le fils de l'ancien président Suleiman Frangié, ainsi que de sa femme et de sa fille. Leur fils Suleiman survécut à l'attaque. Il est devenu le chef de son clan familial et un éminent homme politique.

Un jeune combattant qui s'appelait Samir Geagea faisait partie de l'équipe d'assassins qui attaquèrent les Frangié chez eux. Geagea fut blessé par balle durant cette opération. Des années plus tard, il allait entreprendre dans le sang sa propre ascension vers le pouvoir et devenir le leader de ces mêmes Forces Libanaises que convoitait Béchir à l'époque.

En ce jour fatidique de juillet 1980, Béchir et ses miliciens tuèrent trois cents des nôtres en une matinée. Ils jetèrent des gens du haut des immeubles en leur tirant dessus pendant qu'ils tombaient, ouvrirent le feu à la mitrailleuse dans les piscines des centres balnéaires, les transformant, littéralement, en bains de sang.

Mon père était parti travailler. Comme d'habitude, j'étais seule à la maison avec ma mère et ma grand-mère. J'étais en maillot de bain, en train de m'asseoir sur le bord du bassin quand retentit soudain une énorme explosion. Une roquette venait de toucher le store en face de moi. J'avais reçu des éclats d'obus au visage. Je sentais le sang tiède s'écouler de ma joue.

Je compris qu'il se passait quelque chose de très grave. Mais nous n'avions aucune idée de ce qui se tramait. Il plut des obus pendant deux heures. Nous rampions pour éviter les balles. Finalement, nous réussîmes à nous blottir au sous-sol. J'entendais crier les hommes qui fouillaient la maison à notre recherche. Par chance, j'avais caché toutes les armes et, lorsqu'ils finirent par nous trouver, ils purent constater que nous n'étions pas armées. Sinon, dans leur folie, ils nous auraient tuées.

Ils nous firent prisonnières. Je sortis, un fusil pointé dans le dos, avec mon jean couvert de sang. Une fois de plus, nous avions perdu tout ce que nous possédions. Même notre chat est mort ce jour-là quand ils ont dynamité la maison après l'avoir vidée de tout son contenu. Quand ils nous traînèrent dehors, je vis un homme couché sur le côté de la route. Ses organes génitaux mutilés cuisaient au soleil à côté de lui.

Tout de suite après notre capture, les hommes de Béchir s'en allèrent parader avec nous autour de leurs casernes. Ils jouaient à placer leurs armes à feu contre nos têtes. J'avais des élancements dans le visage à cause de l'éclat d'obus et je ne voyais plus de mon œil gauche. La voiture stoppa à trois reprises, d'abord devant un bureau Kataëb voisin où ils nous arrachèrent, ma mère et moi, du véhicule pour nous exhiber devant une foule en liesse. À la vue de mon T-shirt à l'emblème du parti, des hommes se saisirent de moi et me jetèrent contre un mur, simulant mon exécution.

L'homme qui nous véhiculait m'entraîna vers la voiture et nous repartîmes pour un autre poste des Kataëbs, situé dans les collines au-dessus de Safra. Cette fois, l'endroit était désert. Nous attendîmes une demi-heure dans la voiture tandis que nos ravisseurs discutaient entre eux pour décider où nous emmener. Pour finir, nous reprîmes la direction du bord de mer, jusqu'au village de Sarba où se trouvait l'un des quartiers généraux des Kataëbs.

Ils garèrent la voiture dans une pente, en face du bureau et nous y laissèrent près d'une demi-heure encore, puis un homme vint nous demander de le suivre. Il nous conduisit dans une immense salle vide où nous attendîmes jusqu'à ce que le chef du district des Kataëbs fût prêt à nous recevoir.

Nous entrâmes dans son bureau, une grande pièce où un petit homme rond était assis derrière un lourd bureau en chêne aux proportions imposantes. Nous prîmes place en face de lui. Je lui dis en termes non équivoques qu'il valait mieux pour lui que je joigne mon père au plus vite par radio, parce que s'il pensait que nous avions été tuées, il allait retourner ses canons contre eux et les anéantir. Je bluffais bien sûr, mais l'homme me prit au sérieux. Après plusieurs tentatives, nous réussîmes à joindre mon père et, quoique la communication fût assez inaudible, l'entendre me procura un immense soulagement.

Mon père me demanda si nous étions toutes en bonne santé et je le rassurai. Il me dit qu'il était dans les montagnes et qu'il ne savait pas quand – ni si – il serait en mesure de nous revoir. Il fallait que nous tentions de nous rendre à

Beyrouth-Ouest ou au ministère de la Défense.
Je lui répondis que je ne savais pas où aller là-bas.
Je n'avais pas mis les pieds dans le secteur musulman depuis le début de la guerre, même s'il était,
alors, plus sûr que le côté chrétien. Il me suggéra
de trouver un hôtel, puis il se tut. Son inquiétude
était palpable. Quand il reprit la parole, ce fut
pour me souhaiter bonne chance, me dire de
faire du mieux que je pouvais et de m'occuper
de ma mère. Je raccrochai, le cœur serré. Je ne
savais pas quoi faire. Je regagnai mon siège.

Ma mère et moi n'avions pas échangé un mot
pendant tout cet épisode. Presque aussitôt, deux
prêtres entrèrent dans la pièce. Je compris qu'ils
venaient en médiateurs. Nous étions devenues
gênantes. Le massacre avait duré douze heures et
des histoires de bains de sang commençaient à
circuler hors de la zone. Nous aurions dû être
tuées lors du bombardement de la maison. On
aurait camouflé ça en accident. Maintenant, il
était trop tard et nous représentions un problème
pour eux.

Avec l'aide des prêtres, nous fûmes finalement
libérées et raccompagnées à l'une des dernières
casernes de la zone qui était encore tenue par
notre parti. Je passai la nuit debout à tenter en
vain de joindre mon père par radio. Je ne savais

pas s'il était mort ou vivant. J'avais entendu dire qu'il battait en retraite, de plus en plus loin dans les montagnes, perdant peu à peu ses munitions dans l'opération. Les Kataëbs l'avaient poursuivi jusqu'à la station de Faqra où nous allions skier et avaient détruit notre chalet, en tuant au passage des employés de la station ainsi que notre chien, un saint-bernard nommé Shadow. Puis ils avaient pourchassé mon père dans les collines environnantes.

Le lendemain matin, notre caserne se remplit soudainement de Kataëbs. Nos jeunes combattants n'avaient pas réussi à repousser l'assaut. Il devenait beaucoup trop dangereux pour nous de rester là-bas. Par chance, un des amis de mon père, Nabil, était parvenu à franchir les checkpoints en voiture. Comme il s'apprêtait à partir, il me demanda si j'avais besoin de quoi que ce soit. « Oui, lui dis-je, de sortir d'ici le plus vite possible. »

Ma mère, ma grand-mère et moi montâmes dans la voiture de Nabil. Dans le tohu-bohu général, personne ne fit attention à notre départ. Nous nous éclipsâmes rapidement. Nous roulions vers le centre-ville. Les routes étaient envahies de chars et de Kataëbs agitant leur bannière. Quelle piètre victoire, pensais-je. Comment peut-on se réjouir du meurtre de ses frères ?

J'étais consternée. J'avais honte pour eux. Ils n'en savaient rien et il n'y eut personne pour leur dire que leurs actes allaient finir par détruire la communauté chrétienne. Nabil nous conduisit au ministère de la Défense. Il était impératif de localiser mon père et d'assurer son retour. Nous parvînmes dès notre arrivée à convaincre un officiel d'envoyer un hélicoptère le chercher. Pour tenter une réconciliation, le frère de Béchir, Amin, se joignit à l'opération de sauvetage. Nous attendîmes au ministère. L'après-midi même, après tant de terreur et d'incertitude, nous étions de nouveau réunis.

Dans les premières semaines qui suivirent notre évasion, nous vécûmes dans la maison familiale d'un ami d'enfance, Patrick. Tous étaient très gentils avec nous et durent mettre leur vie en danger en prenant soin de nous. Le temps passant, je me sentais de plus en plus en colère. Je n'arrêtais pas d'entendre des histoires horribles sur « la nuit des longs couteaux ».

Un membre loyal du parti, ami de la famille, était tombé entre les mains des Kataëbs. Ils étaient entrés chez lui pendant qu'il dormait, l'avaient torturé, lui avaient sectionné une oreille, tiré dans les jambes et, pour finir, l'avaient attaché sur son lit, ceinturé d'explosifs avant de tout faire sauter. Sa femme et sa fille, Tracy – il avait tenu à lui donner mon prénom – avaient été contraintes d'assister à son exécution.

Plus j'entendais ce genre d'histoires, plus je me sentais accablée de culpabilité. Tous ces gens étaient morts parce qu'ils étaient liés, d'une façon ou d'une autre, à ma famille et à mon nom. Le plus déroutant de l'affaire, c'est que personne d'autre dans le pays n'avait souffert. L'opération, quoique d'envergure, avait été limitée à des zones spécifiques. Autant dire que, pour le reste de la population, il ne s'était rien passé. Les gens continuaient à faire la fête et à aller à la plage. On ne s'en était pris qu'à nous et aux malheureuses personnes qui avaient eu le tort d'être en contact direct avec nous. Cette constatation ne faisait qu'accroître mon sentiment d'isolement.

Outre la mort d'environ trois cents de nos partisans, trente travailleurs émigrés, pakistanais pour la plupart, perdirent la vie. Ils furent alignés contre un mur et fusillés. Tous ces corps furent jetés dès le lendemain dans des fosses communes, avant que la presse ne puisse rapporter ces atrocités.

Les actions de Béchir ont eu des conséquences terribles pour la communauté chrétienne tout entière. Il a violé quelque chose de sacré. Il a été le premier à cautionner l'assassinat de chrétiens par leurs coreligionnaires. Cette volonté de domination par la violence a eu, au fil des années, des conséquences tragiques pour ma propre famille. Car l'attaque de Safra ne fut que le début de la sanglante histoire que nous allions vivre entre les mains des Forces Libanaises.

Toute organisation est le reflet du pouvoir qui la gouverne et celui-ci s'est forgé dans le sang. Pourtant de nombreux membres des Forces Libanaises n'ont pas succombé à l'endoctrinement de la violence et sont devenus, plus tard, de grands amis ou relations. Ce fameux jour, à Safra, une poignée de jeunes gens, écoutant leur conscience, firent tout ce qu'ils pouvaient pour contenir l'effusion de sang et la vengeance.

Parmi ces personnes bienveillantes, il y eut Massoud Ashkar qui menait une équipe de jeunes combattants sous le commandement de Béchir. Lui et ses hommes furent parmi les premiers à pénétrer dans la maison, après le massacre. Ils tentèrent alors de sauver une partie de nos effets personnels des décombres. Ils nous rapportèrent

81

ce qu'ils avaient trouvé – pas grand-chose – et nous dirent à quel point ils s'étaient sentis mal en ramassant nos photos de famille éparpillées au sol après le dynamitage de la maison. Ces quelques souvenirs sont tout ce qui me reste d'un passé désormais effacé.

Il est important de comprendre que, lorsque je parle des Forces Libanaises, je fais surtout référence à certains cadres du commandement et non aux miliciens eux-mêmes. Dans leur ensemble, ceux-ci furent, comme nous tous, pris dans une chaîne d'événements sur lesquels ils n'avaient pas de contrôle. Nous avons tous été pareillement piégés par des exigences qui n'avaient rien à voir avec le sauvetage du pays et tout à voir avec d'étroites ambitions personnelles.

En ce qui me concerne, après le massacre de Safra, il se passa quelque chose qui allait changer pour toujours ma relation avec ma communauté. Je devins, en quelque sorte, la porte-parole des morts. Je fus invitée chez les Frangié, où je donnai une interview condamnant les actions de Béchir et de ses hommes. Elle fut diffusée sur plusieurs stations de radio du nord, territoire de l'ex-président Frangié, où Béchir était détesté pour l'assassinat de Tony et de sa famille, et dans le sud, sur les terres druzes où les Kataëbs étaient également haïs.

Une fois de plus, ma vie était en danger. Mon grand-père me supplia de tenir ma langue. Je refusai. Il fallait bien que quelqu'un dise la vérité. Je ne pouvais plus me taire. Je devais prendre la parole au nom de tous les morts et de leurs pauvres familles dans la douleur.

Mes relations avec mon grand-père étaient de plus en plus tendues. Le lendemain même du jour où Béchir avait essayé de nous tuer, il était photographié en train de lui serrer la main ! Et Béchir devint bientôt son protégé. Je me sentais complètement trahie. Je ne pouvais pas comprendre un tel comportement vis-à-vis de nous. Il avait trouvé un compromis politique. Or la première préoccupation de mon grand-père, ce qui passait avant tout le reste, avant sa famille ou sa propre sécurité, était le salut de la communauté chrétienne du Liban. C'était sa mission.

Je ne crois pas qu'il ait jamais imaginé une tuerie d'une telle ampleur ni même qu'on puisse s'en prendre directement aux membres de sa propre famille. Mais d'une certaine façon, il savait qu'il ne pouvait pas résister à l'énorme pression qu'exerçait Béchir pour prendre le contrôle du secteur chrétien, même si cela signifiait le sacrifice de son propre fils. À ce moment-là, toute résistance de sa part aurait conduit aussitôt à de nouvelles effusions de sang entre chrétiens.

Mon attitude franche fit soudain de moi une paria auprès d'une partie des chrétiens et au sein de mon propre clan. Je ne me sentais plus en sécurité, même parmi les miens. Ma vie était quotidiennement menacée. Les gens me regardaient avec haine. J'avais été la victime mais j'étais l'objet de leur mépris.

Parce que j'avais condamné Béchir dans la presse nationale je fus persécutée. J'étais suivie partout. Les quelques amis fidèles qui osaient m'appeler ou me rendre visite étaient immédiatement avertis qu'un malheur pourrait bien s'abattre sur leurs familles ou leurs proches, s'ils récidivaient.

Je n'avais plus d'autre issue que de quitter mon pays mais cette fois-ci, ce n'était pas un choix. Je n'étais tout simplement plus en sécurité nulle part, ni à l'est ni à l'ouest de Beyrouth. Des gens avaient juré de me tuer. Je partis de nouveau pour Londres sans savoir cette fois quand je reviendrais. J'étais en état de choc mais j'essayais de reprendre une vie « normale » à l'université. À vrai dire, elle était tout sauf normale. Comment aurait-elle pu l'être ? Je regardais tous mes amis vaquer à leurs occupations habituelles et une fois de plus je me sentais punie par la vie, exclue de leur réalité pour avoir dû faire face à la dureté du monde d'où je venais.

J'ai passé mes nombreuses années d'exil à Londres, le cœur lourd, inquiet, jamais en paix. Pendant toute cette période de ma vie, j'ai lutté pour comprendre ce qui m'était arrivé. La vie à laquelle j'avais cru être destinée n'avait rien à voir avec la réalité que j'expérimentais.

J'avais toujours pensé que le Liban serait mon foyer, que j'avais une place au sein de ma famille et que ma vie se déroulerait dans cet environnement. C'était l'inverse : tout était profané, détruit. Tout ce qui faisait mon identité était brisé. Mon pays était dévoré par la haine, en proie au carnage. Tous mes amis étaient dispersés aux quatre coins de la planète. Beaucoup étaient morts. Ce n'était certes pas la vie que j'avais imaginée pour moi. Je n'avais connu que l'horreur et la trahison. J'avais vécu dans un monde dominé par des hommes affamés de puissance, par la violence et par la traîtrise, des individus comme des politiciens. Je n'étais plus qu'une coquille vide mais, pour je ne sais quelle raison, je devais survivre à ce sentiment d'anéantissement.

85

Au bord de la folie et de la dépression, j'eus la chance d'être guidée vers une guérison profonde qui m'a métamorphosée et que j'ai décrite en détail dans mon précédent livre *Au nom du père*. Il me fallait trouver des réponses aux injustices de la vie si je voulais continuer à vivre car je n'étais plus capable de résister à la douleur que j'avais endurée jusque-là. Je me lançai tout entière dans cette quête. Je cherchai d'abord des réponses dans différentes philosophies. Jusqu'à ce que je découvre la foi qui me fit comprendre que les réponses ne pouvaient pas venir de l'esprit, mais qu'elles surgissaient du cœur.

Je vis ce que j'étais devenue, un être tronqué. Je m'étais coupée de ma capacité d'aimer parce que j'avais trop fait l'expérience de la perte. Je compris aussi que ce choix était une forme de suicide. Je m'étais affamée en me privant de la seule nourriture qui pouvait me sauver : la capacité d'aimer une fois de plus et d'être aimée en retour. Ce fut un moment miraculeux de ma vie où je sentis mon cœur se dégeler en même temps que s'éveillait en moi la conscience de ma connexion à toutes choses.

Lentement, j'entamai le processus de reconstruction de moi-même. Jusque-là, j'avais lutté contre Dieu et haï le malheur qui avait balayé ma vie. Je renonçai à la lutte et remis ma volonté à une puissance supérieure. Je compris aussi très clairement l'immense pouvoir qu'a le libre arbitre de créer et façonner notre réalité. Le mal n'a pas de réalité en soi, il existe au moment où on le met en œuvre. Il est intimement lié aux choix que chacun de nous fait à tout moment.

Le libre arbitre est un aspect du divin en nous. Il peut être utilisé pour servir les plus bas instincts de notre nature ou les plus hautes aspirations de notre être. C'est à nous de choisir et le choix n'est pas simple. Soit nous acceptons le fait que nous sommes tous reliés les uns aux autres et nous efforçons de vivre en prenant soin des conséquences de nos actes ; soit nous nous plaçons d'un point de vue égocentrique qui justifie tous nos actes sans nous soucier de leur impact sur autrui.

Ma foi fut rudement mise à l'épreuve à plusieurs reprises. Les années qui suivirent furent remplies d'obstacles qui ne firent qu'aggraver mon sentiment d'aliénation et ma douleur et rendre encore plus difficile ma lutte pour la paix intérieure. Mais l'épreuve la plus dure de toutes était encore à venir.

En 1980 commença le court règne de Béchir qui allait prendre fin avec sa mort violente en 1983. Dans cet intervalle, ses hommes tentèrent une nouvelle fois d'assassiner mon père, qui fut touché dans une embuscade. La balle traversa son mollet mais il réussit à tuer ses agresseurs.

Après cet épisode, mon père fut également contraint de quitter le Liban. Il vint vivre avec ma mère et moi à Londres. Il n'y resta pas long-temps. Il était comme un lion en cage. C'était un homme brisé, incapable d'accepter ce revers de fortune. Une grande lourdeur pesait sur son âme. Il ne se sentait pas seulement enlevé à son pays mais aussi à son destin et tout cela n'avait pour lui aucun sens.

Nous parlâmes de ce qu'il pouvait faire de sa vie. Il ne savait même pas par où commencer. À quarante ans passés, ses choix étaient limités. Il ne pouvait pas survivre loin du Liban. Aussi quand son père, Camille, fit un geste de récon-ciliation en direction de Béchir, il saisit l'occasion pour rentrer. Il revint dépouillé de tout pouvoir, sa milice étant complètement démantelée.

Le 6 juin 1982, l'armée israélienne envahit le Liban. Beyrouth fut de nouveau en flammes. Quelque vingt mille personnes périrent au cours de ces combats, des civils pour la plupart et pas exclusivement des Palestiniens. Le plan initial d'Ariel Sharon – connu sous le nom d'accord du 17 mai – était d'établir au Liban un État chrétien qui serait en mesure de faire la paix avec Israël. Il comptait refouler l'OLP en Jordanie, à laquelle Sharon estimait que les Palestiniens apparte-naient. Rien de tout cela n'arriva.

En revanche, l'homme d'Israël, Béchir Gemayel, fut élu président sous la contrainte des canons israéliens, puis assassiné quelques jours avant son entrée en fonction. À la suite de cet assassinat et sous l'œil vigilant de l'armée israélienne, les mili-ciens de Béchir se déchaînèrent contre les camps palestiniens de Sabra et Chatila, où eut lieu pendant vingt-quatre heures le plus horrible et le plus inqualifiable des massacres. Des hommes, des femmes, des enfants furent assassinés, violés, découpés en morceaux, et même écorchés vifs. Au moment où la communauté internationale et les journalistes les découvrirent, leurs cadavres furent jetés à la hâte dans des fosses communes.

Élie Hobeika fut désigné comme le responsa-ble du massacre de Sabra et Chatila. Certains journalistes affirmèrent qu'il avait supervisé le carnage du haut d'un toit avec les Israéliens. Des

années plus tard, je le rencontrai et nous parlâmes de ces accusations. Il me regarda droit dans
les yeux et me certifia qu'il n'était pas présent.
Il affirma qu'au moment du massacre il était au
palais présidentiel où l'avait convoqué le président, Amine Gemayel, loin du lieu des crimes.

Hobeika avait un lourd passé et il ne pouvait
pas s'en défaire. Il y avait un voile d'obscurité
sur son âme, c'était au-delà de toute rédemption,
qu'il ne souhaitait d'ailleurs pas. Il était sans
illusion sur sa propre nature et les forces peu
ordinaires qui l'habitaient. Il m'avoua qu'au
terme de sa formation auprès de la CIA, il avait
été reconnu impitoyable, un tueur né.

Après l'invasion israélienne du Liban en 1982,
qui modifia la perception d'Israël dans le monde
et, à certains égards, changea son image à jamais,
les Palestiniens furent forcés de quitter le Liban
et partirent en Tunisie. Arafat n'avait pas été tué
comme l'espéraient les Israéliens.

Amine Gemayel, frère de Béchir et dont la
personnalité était très différente, fut élu président,
dans l'idée qu'il ferait respecter le traité de paix
avec Israël. Mais l'accord du 17 mai rencontra
une forte opposition chez les Libanais musulmans
et dans le monde arabe qui y virent une capitu-
lation imposée. La Syrie s'y opposa sans équivo-

que. En refusant de retirer ses troupes du sol libanais, Damas torpilla efficacement sa mise en œuvre.

L'invasion israélienne du Liban en 1982 eut une conséquence inattendue : la militarisation de la population chiite. Vivant principalement dans le Sud du pays, les chiites ont été les premiers touchés, les plus tués et les plus dévastés par les guerres avec Israël. Cela a commencé en 1978 avec l'opération Litani, lancée pour sécuriser une zone tampon avec l'allié d'Israël qu'était l'Armée du Liban Sud. Elle a fait deux mille morts et deux cent cinquante mille réfugiés suite à la destruction de leur maison. Et ce n'était que le début de l'éradication et du déplacement des chiites. Les terribles épreuves et les pertes qu'a endurées cette population ont été à l'origine de la création du Hezbollah, « Le Parti de Dieu ». Celui-ci a su capter la colère des populations chiites et lui donner ses bases idéologiques avec la doctrine iranienne anti-sioniste.

Ironie du sort, c'est la guerre menée par Israël en 2006 qui a élevé le Hezbollah au rang d'acteur régional. C'était au départ un mouvement national. Il s'est changé en un vaste parti de « résistance islamique », porté par la reconnaissance populaire, dans les pays arabes.

La formation du Hezbollah a eu d'énormes conséquences sociopolitiques sur le Liban. Il a pris une importance considérable dans le pays en se positionnant comme la seule force de résistance arabe capable de combattre Israël, de défendre les Palestiniens, de négocier la libération des prisonniers libanais en Israël et, pour finir, de protéger les frontières et la souveraineté du Liban, victime des invasions et des violations répétées des Israéliens.

Il faut bien comprendre que le Hezbollah est fondé sur la lutte armée. Sans sa résistance à Israël, son existence en tant que milice armée n'aurait aucune justification. Tant que le spectre d'incursions israéliennes au Liban ne sera pas éloigné et que l'armée peinera encore à exercer pleinement ses fonctions de défense aux frontières, le Hezbollah continuera d'opérer sur un mode paramilitaire.

Pour compliquer un peu plus les choses, la communauté musulmane est aujourd'hui divisée. L'opposition forte entre les deux clans, chiite et sunnite, fait du désarmement du Hezbollah une hypothèse plus improbable encore. Cette question reste très controversée chez les Libanais de tous bords. Elle est à la base d'un clivage politique qui divise la nation. Le Hezbollah est soi-disant la seule milice du pays à ne pas être désarmée parce qu'elle incarne la « résistance ». En réalité, ce n'est pas le cas. Les milices militantes de tous bords sont toujours armées et malheureusement toujours prêtes au combat.

Ainsi répétant
la vie, les conditionnements
Au lieu de transcender
Et ne plus voir l'autre
Comme ennemi
Mais assumer
La noble alchimie
De tolérance
D'amour,
Et de paix
Pour effacer
l'Ignorance humaine dépassée.

Extrait
« Les Quêteurs »

4.

L'invasion israélienne, puis l'assassinat de Béchir, au début des années 1980, inaugurèrent pour les chrétiens une période noire. Quant au pays, il était plongé dans l'anarchie et les combats intercommunautaires.

Du côté des milices, Samir Geagea, qui s'était fait une réputation de chef potentiel ambitieux, décida de prendre le contrôle des Forces Libanaises. Lors d'une violente opération de nettoyage interne, lancée le 15 janvier 1986 et qui coûta la vie à six cents de leurs hommes, Geagea força Élie Hobeika, alors chef du Comité exécutif des Forces Libanaises, à l'exil. Celui-ci partit se réfugier avec quelques partisans dans la ville de Zahlé, située dans la plaine de la Beqaa à l'est de Beyrouth.

Geagea put revendiquer sans autre opposition la direction des Forces Libanaises. Il les réorganisa de façon radicale. Toutes leurs opérations furent placées sous l'autorité d'hommes de confiance qui exécutaient ses ordres sans sourciller.

Sur le plan politique, le Front Libanais, que mon grand-père Camille avait créé et dirigé, continua de fixer la ligne du secteur chrétien. Il rassemblait les dirigeants de plusieurs partis. En tant que président du Parti National Libéral, mon père en était membre, de même que Samir Geagea qui représentait désormais les Forces Libanaises.

Compte tenu de la domination militaire de Geagea dans le secteur, il ne fallut pas attendre longtemps pour voir surgir des divergences de vue entre mon père et lui, notamment sur l'administration du secteur chrétien, appelé Région de l'Est. Leur premier litige porta sur l'équité de traitement des partis. Geagea s'arrogeait la plus grande partie des fonds mis à la disposition du Front Libanais, considérant que sa propre organisation était la plus importante du secteur chrétien et par conséquent celle qui en méritait le plus. C'était un affront pour tous les autres partis et mon père contesta ces prérogatives.

En 1988, Amine Gemayel tenta de contourner la Constitution libanaise en postulant pour un second mandat présidentiel, tout comme mon grand-père l'avait fait, sans succès en 1958. Il tergiversa jusqu'aux dernières heures de son mandat et, contraint de céder la place, usa de sa dernière prérogative de Président pour nommer le général Aoun, commandant en chef de l'armée, Premier ministre. Il venait de désigner son successeur. La Constitution prévoyait, en effet, que dans l'état d'urgence créé par la vacation du pouvoir, le Premier ministre pourrait exercer les fonctions de Président.

Au même moment, au niveau régional, les pays arabes se réunissaient pour tenter de trouver une issue à la guerre. Ils proposèrent un processus qui est resté sous le nom d'« Accord de Taëf », dans lequel la Syrie était appelée à jouer un rôle majeur de maintien de l'ordre et de la paix au Liban. Tous les membres du parlement libanais furent mis dans un avion pour Taëf, en Arabie Saoudite, sur invitation du roi Fahd et de son représentant Rafic Hariri, un musulman sunnite de nationalité saoudienne, qui devait devenir plus tard Premier ministre du Liban et jouer un rôle de premier plan dans le paysage politique. C'est lui qui avait conçu l'accord de Taëf et c'est également à Taëf que Hariri avait remporté son premier contrat pour la construction d'un hôtel, contrat qui allait lancer sa carrière d'entrepreneur milliardaire et le faire entrer, plus tard, dans les bonnes grâces du roi Khaled.

À Taëf, les parlementaires libanais ratifièrent le nouvel accord, également appelé « Accord de Réconciliation Nationale », ou « Document d'Accord National ». Il s'agissait de fournir les bases permettant de mettre fin à la guerre civile.

L'accord de Taëf, érigé en soi-disant « forum international pour la résolution de la crise libanaise », reçut le soutien du monde extérieur, des États arabes mais surtout des États-Unis. Il proposait des réformes politiques et l'établissement d'une relation privilégiée entre le Liban et la Syrie, à qui était attribué le rôle de force de maintien de la paix. Il comportait parallèlement un calendrier du retrait des troupes syriennes du Liban, qui ne fut jamais appliqué. Il fut signé le 22 octobre 1989 et ratifié le 4 novembre 1989.

C'était le premier accord à remanier la Constitution et à changer la structure politique du Liban depuis le Pacte national, qui avait fondé le pays en 1943. Celui-ci avait établi les principes de la gouvernance du Liban en tant qu'État multi-confessionnel. Il attribuait des postes clés du gouvernement aux représentants des différentes religions, proportionnellement à la population de leurs ressortissants, connue grâce au recensement de 1932. Dans ce recensement, le dernier qui fut effectué au Liban, les chrétiens représentaient 51 % de la population. Ce n'est plus du tout le cas aujourd'hui.

La première préoccupation du pacte de 43 avait été de mettre fin au clientélisme des différentes communautés : que les chrétiens cessent d'aller chercher de l'aide auprès de leurs alliés occidentaux et que la communauté musulmane résiste à la vague montante de l'arabisme. Cela non plus n'arriva jamais car les textes présentaient dès le départ une faille : ils ne prévoyaient aucun mécanisme d'adaptation en cas de changement des données démographiques. Or l'émigration des chrétiens, jointe à un taux de natalité élevé chez les musulmans, réduisait peu à peu l'avantage numérique de la communauté chrétienne.

Taëf transférait le pouvoir exécutif du président – traditionnellement chrétien maronite –

au Premier ministre, sunnite, promu chef du gouvernement. La seule prérogative laissée au président chrétien était son droit de veto. L'accord changeait également la représentation par confession. Le nombre des députés augmentait et passait à cent huit, moitié chrétiens moitié musulmans. La même parité était appliquée au cabinet ministériel.

Taëf stipulait aussi le désarmement de toutes les milices, à l'exception du Hezbollah, autorisé à conserver les siennes, non en tant que milice mais en raison de la « force de résistance » qu'il opposait aux Israéliens dans le Sud.

Parallèlement au processus de Taëf, en plein essor, un autre facteur joua un rôle important à l'échelle régionale dans le conflit libanais. L'Irak venait d'envahir le Koweït et les États-Unis se précipitaient à son secours.

Le président George H.W. Bush activa tous ses contacts au Moyen-Orient pour créer une force de coalition contre Saddam Hussein en Irak. La Syrie, grand ennemi de l'Irak baasiste, fut évidemment invitée à y participer.

Lors d'une brève mais mémorable rencontre entre James Baker, alors secrétaire d'État aux États-Unis, et le président syrien Hafez El-Assad, un accord fut conclu : la Syrie pouvait entrer au Liban, conformément aux dispositions du récent accord de Taëf ; en contrepartie, les États-Unis bénéficieraient du soutien de la Syrie aux forces de coalition de la première guerre du Golfe contre Saddam Hussein. Une fois de plus, le Liban était sacrifié aux intérêts internationaux. Et, le 13 octobre 1990, les Syriens allaient occuper officiellement le pays.

Le général Aoun, alors au pouvoir, refusa tout net d'accepter les termes de l'accord de Taëf, déclarant qu'il était anticonstitutionnel et ôtait tout pouvoir aux chrétiens. Mon père, préoccupé par la menace syrienne sur l'indépendance du Liban, y voyait pour sa part un boulevard ouvert aux Syriens pour annexer le pays en toute légitimité. Son analyse s'est avérée juste. Au côté du général Aoun, dont la posture de défi faisait le symbole de la résistance, il s'opposa donc farouchement au processus de Taëf.

En cet instant, le général incarna les vœux les plus profonds du peuple libanais. Il parla de démocratie, de paix, de briser l'ordre ancien, d'abolir le règne des milices, et de libérer le Liban de ses occupants étrangers. L'impact de ses paroles fut énorme. Son appel à l'unité et au sursaut national provoqua une levée en masse.

101

Des gens affluèrent de tout le pays pour se rassembler devant le palais présidentiel. La foule entonna des chansons célébrant le Liban et la liberté. Un sentiment d'euphorie emporta la nation tout entière.

Le général et son peuple apparurent unis dans le même désir d'un destin autonome. Enhardi par ce soutien populaire, Aoun déclara ouverte la « Guerre de Libération » contre le joug syrien. Il procéda également, à tort ou à raison, à l'expulsion de toute personne qu'il estimait ne pas soutenir sa cause. Ce fut le cas de l'ambassadeur américain et de tout le personnel de son ambassade qui fuirent le Liban, craignant pour leur sécurité. Il n'est pas dit qu'à ce jour ils aient encore pardonné à Aoun.

Vivant toujours à Londres à cette époque, je regardais les événements, en observateur extérieur, avec un étonnement total. Alors que les autres trouvaient la rhétorique du général captivante elle m'inquiétait personnellement. Il en appelait à la démocratie et proclamait le début d'une ère nouvelle. Mais tous ses actes reflétaient sa conviction que le seul moyen de faire la paix était de faire la guerre.

Le processus de Taëf était sur les rails mais il y avait, de fait, deux gouvernements au Liban, l'un dirigé par le général, et l'autre adossé à l'accord de Taëf. Les deux se déclaraient légitimes.

Mon père était pris dans cet étau. Sa préoccupation majeure était la défense du Liban face à la menace syrienne. La situation, à ses yeux, était tellement désespérée qu'il m'appela à Londres pour me demander de l'aider. Je contactai le ministère des Affaires étrangères du Royaume-Uni et rendis visite à un haut fonctionnaire. Je sortis de cette rencontre avec la ferme conviction que le monde occidental appuyait totalement l'accord de Taëf et sa mise en œuvre. Tous semblaient déterminés à le soutenir et à limiter le champ d'action du général Aoun. Je transmis ce message à mon père. Il entra dans une colère noire et, blessé, m'accusa injustement d'être « une des leurs ».

J'étais perplexe. Le bon sens me disait que le général Aoun et mon père étaient acculés dans une voie sans issue. Ma rencontre avec les fonctionnaires britanniques me faisait craindre pour la sécurité de mon père mais je ne pouvais rien faire pour l'aider. Le général et lui, ainsi que leurs partisans, avaient réussi à s'isoler du reste du monde.

En janvier 1990, la situation se détériora encore. Les Forces Libanaises de Geagea s'opposèrent au général Aoun, comme elles continuent de le faire de nos jours. À l'époque Geagea avait pris le parti de Taëf et des Syriens. Les deux hommes se jetèrent dans une guerre féroce, perpétuant ainsi la haine entre chrétiens, cette même haine qui alimente les divisions aujourd'hui. Mon père se rangea stoïquement derrière le général Aoun. Il avait toujours soutenu l'armée libanaise qui représentait à ses yeux les seules forces armées légitimes du pays.

Les Syriens observaient, attendant que la communauté chrétienne s'autodétruise. Dans les coulisses, le processus de Taëf allait son chemin et le 5 novembre 1989, sur la base aérienne de Qoleiat au Liban-Nord, René Moawad fut élu président du Liban, quatre cent neuf jours après qu'Amine Gemayel eut quitté ce poste, à l'expiration de son mandat en 1988.

Dix-sept jours plus tard, le 22 novembre 1989, alors que Moawad revenait des fêtes de commémoration de l'indépendance du Liban, une voiture piégée avec deux cent cinquante kilos de plastic explosa sur le passage de son cortège, dans Beyrouth-Ouest. Il fut tué ainsi que vingt-trois autres personnes. Deux semaines plus tard, Elias

Hraoui le remplaçait. Le nouveau président signa immédiatement la loi et les amendements à la Constitution qui officialisaient les réformes de l'accord de Taëf.

La dernière bataille entre le général Aoun et Samir Geagea fut un combat sans merci jusqu'au 13 octobre 1990 où Elias Hraoui, le nouveau président, contraignit le général Michel Aoun à se rendre. Avec l'aide de l'armée syrienne, qui entra ce jour-là en force au Liban pour installer sa domination sur toutes les régions chrétiennes, secondée par les Forces Libanaises de Samir Geagea, son allié.

Les Syriens et les Forces Libanaises ayant pris le contrôle du secteur chrétien, mon père se retrouva cerné. Il ne put rentrer à son domicile d'Achrafieh où il avait laissé sa deuxième épouse, Ingrid, et leur bébé, ma sœur Tamara, et s'installa provisoirement dans l'appartement de mon oncle Dory situé au cinquième étage des bâtiments du Centre Chahine à Baabda.

Samir Geagea envoya une équipe de voyous armés dirigés par Khalil Wakim, chef de la division de la sécurité de Beyrouth-Est, piller l'appartement d'Achrafieh et terroriser Ingrid et ma sœur Tamara. Ils les emprisonnèrent pendant deux semaines dans les sous-sols de l'immeuble, avant de les laisser rejoindre mon père à Baabda.

Cette violente démonstration de force prouve à quel point les relations personnelles entre Geagea et mon père s'étaient détériorées. Elle témoigne aussi de ce que la confiance et la combativité des Forces Libanaises avaient reçu un coup de fouet. Quiconque soutenait le général Aoun fut pris pour cible. Un de leurs groupes s'empara des locaux du journal *Al-Nahar*, dans le quartier Akkawi. Il y resta deux ans. Une autre équipe prit également le siège d'un parti politique, les Gardiens des Cèdres. Ils arrêtèrent leur chef, Étienne Saqr, et le retinrent séquestré pendant un mois.

Le 13 octobre signa la défaite totale du général Aoun et de mon père. Aoun se rendit à l'ambassade de France. Mon père lui, résolument attaché à ses hommes, refusa de les abandonner. Il choisit de rester chez lui. Tout le monde essaya de l'avertir du danger qu'il courait mais il ne voulut rien entendre. Une fois de plus, la guerre allait m'atteindre en plein cœur.

Durant les jours qui suivirent, il me fut impossible de joindre mon père. Toutes sortes de récits contradictoires sur ses allées et venues circulaient.

Certains affirmaient qu'il avait trouvé refuge dans la résidence du Consul français. Selon d'autres informations, il était retourné à Deir-El-Kamar, notre village du Chouf, où il était sous la protection de Walid Joumblatt. J'étais à Washington et mon inquiétude croissait de jour en jour. Je me résolus à appeler l'ambassadeur libanais, S.E. Nassib Lahoud. Je le suppliai de demander à quelqu'un de veiller sur mon père. Lahoud m'assura qu'il avait pris contact avec le gouvernement et que les mesures nécessaires pour assurer sa sécurité avaient été prises.

Le 21 octobre 1990, mes pires craintes prirent corps. À l'aube, lors d'une opération commando préparée avec minutie, des hommes armés, revêtus d'uniformes de l'armée libanaise, s'infiltrèrent dans l'immeuble où habitait mon père et forcèrent le passage jusqu'à son appartement. Ils le tuèrent en premier, puis Ingrid, puis mon petit frère Tarek qui était âgé de sept ans. Tarek était accouru dans la salle de séjour, une arme à la main, essayant courageusement de sauver son père et sa mère. Enfin, ils assassinèrent mon frère cadet, Julien, âgé de cinq ans, qui était allé se cacher sous son lit. Ils s'en saisirent, le traînèrent à découvert et lui tirèrent dessus à bout portant. Miraculeusement, ils n'entendirent pas ma petite sœur Tamara alors âgée d'un an. Elle dormait tranquillement dans son lit.

Je reçus la nouvelle par téléphone aux États-Unis à quatre heures du matin, le jour même. J'étais avec mon futur mari, Fred. Je bondis hors du lit. Mon cœur battait à grands coups. Les appels téléphoniques tôt le matin annoncent toujours de mauvaises nouvelles. Je me rassurai en me disant que c'était sans doute mon père qui essayait de me joindre. Il était le seul à m'appeler à cette heure-là. Je décrochai le combiné. C'était ma mère. Dès que j'entendis sa voix, je sus que quelque chose était arrivé à mon père. Je criai dans le récepteur : « C'est papa n'est-ce pas ? Qu'est-ce qui ne va pas ? Qu'est-ce qui s'est passé ? Il est mort, c'est ça ? »

Elle n'arrivait pas à dire autre chose que : « Oui, oui, oui. » Puis elle lâcha : « Ce n'est pas seulement lui, Tracy, ils ont tué tout le monde. Ingrid, Tarek, Julien. Ils sont tous morts ! »

Je n'arrivais pas à le croire. Je hurlais de rage et de douleur, mon cœur se déchirait dans ma poitrine. Je sanglotais sans pouvoir m'arrêter. Fred, réveillé par mes cris, saisit le téléphone et parla à ma mère. Tout cela n'avait aucun sens. Il me semblait que ma vie s'arrêtait là. J'allumais la télévision pour écouter les nouvelles de CNN et je vis mon père emporté sur une civière. Au-delà même de toute ma douleur et de mon immense tristesse, je sus que quelque chose était irrémédiablement perdu dans ma vie.

Nous partîmes, Fred et moi, immédiatement pour Paris et Londres unir nos cœurs et nos larmes à des milliers de personnes en deuil. Ce fut une période sombre pour le Liban et pour tous les chrétiens. L'assassinat de ma famille était imputé aux Syriens mais le *modus operandi* n'était pas le leur. Ils avaient l'habitude de se servir de voitures piégées pour éliminer leurs adversaires politiques. Le meurtre de ma famille avait été exécuté de sang-froid, à bout portant. Il était de nature similaire à celui qu'avait fomenté Béchir Gemayel contre la famille Frangié, auquel Samir Geagea avait participé.

La communauté chrétienne était extrêmement tendue. Les circonstances du meurtre restaient troubles. Le mystère ne devait être levé que trois ans plus tard à la faveur d'un enchaînement de circonstances. Dans l'intervalle, je fus plongée dans la tristesse et la dépression. Je quittai mon emploi et décidai d'écrire un livre. Il y avait très longtemps que je le portais en moi. Je pris quelques contacts à Paris où une amie trouva un éditeur intéressé par mon témoignage.

109

Écrire fut une catharsis. Je jetai sur le papier tous les tourments et toutes les réflexions qui m'agitaient le cœur depuis si longtemps. Le résultat fut *Au Nom du père*[1], qui reçut, en 1992, le « Prix Vérité » couronnant l'une des meilleures œuvres de témoignage. Il eut beaucoup de lecteurs. Je me retrouvai propulsée sur la place publique, dans un rôle plus politique auquel j'associai de nombreux partisans et amis de mon père.

Mais ma santé se détériorait. J'étais la proie des souvenirs, nerveuse, dispersée. Il n'y avait aucune paix dans mon cœur. Abreuvée de théories contradictoires, je ne savais toujours pas qui avait tué ma famille.

Au Liban, mon oncle Dory avait pris la succession de mon grand-père à la tête de son parti politique. Il organisa une élection générale et fut élu président. Il se donna les pleins pouvoirs, écartant la plupart des fidèles de mon père. Il a occupé *de facto* le poste de président pendant plus de vingt ans. Sa gestion du parti a fait beaucoup de mécontents chez ceux qui aimaient mon père et se sont sentis ostracisés. Il y avait toujours

---

1. Éditions Jean-Claude Lattès, 1992.

eu une rivalité entre mon père et mon oncle. Elle s'est perpétuée au-delà de la mort.

Je rentrai au Liban en 1993, pour assister à une messe de requiem à la mémoire de ma famille. C'était la première fois que je remettais les pieds dans mon pays depuis le drame. Le Moyen-Orient était toujours dans la tourmente soulevée par la première guerre en Irak. La Syrie avait réussi à établir son hégémonie sur le Liban et supervisait un gouvernement fantoche incluant plusieurs seigneurs de guerre reconvertis en ministres.

L'accord de Taëf avait mis fin à la guerre civile libanaise mais le pays restait sous la tutelle syrienne. Il avait été mis en œuvre pour donner un fondement constitutionnel au Liban de l'après-guerre. Comme prévu, il inaugura une ère nouvelle pour le pays. Pour la première fois, le pouvoir passa des mains de la communauté chrétienne à celles des musulmans. Un changement renforcé par la nomination de Rafic Hariri au poste de Premier ministre, mandat qu'il allait conserver pendant près de vingt ans.

Hariri avait tiré profit de ses liens avec le roi Fahd d'Arabie Saoudite pour faire fortune dans la construction. Il avait usé ensuite de sa richesse colossale pour modeler la politique libanaise pendant la guerre civile, en finançant différents groupes, en plusieurs occasions. Élie Hobeika m'a dit un jour qu'il lui versait deux cent cinquante mille dollars par mois quand il était en exil à Zahlé après sa défaite face à Geagea en 1986.

Elias Hraoui, un chrétien, fut nommé président et Nabih Berri, leader chiite et chef de guerre, président du Parlement. Avec Hariri, ces trois figures de proue du gouvernement libanais furent surnommées le « Triumvirat » ou la « Troïka ».

Le gouvernement, constitué de deux courants religieux, était divisé et cette division se répercutait à tous les échelons de l'administration. La seule chose que tous ces dirigeants avaient en commun était leur soumission au régime syrien de Hafez El-Assad. Elle faisait l'objet d'une plaisanterie qui courait dans tout le pays : « Comment fait-on pour prendre une décision ? On envoie une procession de limousines à Damas. » À bien des égards cette conduite était honteuse, dégradante même. Elle ne fit que renforcer la méfiance de la population à l'égard de tous ses dirigeants.

Les chrétiens subissaient une véritable oppression et les souvenirs de la guerre hantaient encore l'esprit de chacun. Les services secrets libanais et ceux de l'armée syrienne étaient très actifs, les écoutes téléphoniques répandues et aléatoires, toute forme de résistance supprimée. De jeunes hommes disparaissaient tous les jours pour être enfermés dans les geôles syriennes. Beaucoup y sont encore. Il régnait une atmosphère de peur et de défiance. Après que les Syriens eurent occupé le Liban, les attentats à la bombe devinrent monnaie courante.

C'est dans cette ambiance que j'effectuai mon premier retour au Liban, après une si longue absence. Fred avait décidé de m'accompagner. Lorsque l'avion atterrit, je lui expliquai que je ne savais pas si nous en sortirions vivants. Je n'avais aucune idée de ce à quoi nous devions nous attendre. Par chance, des amis ayant appris notre arrivée s'étaient arrangés pour venir nous chercher sur le tarmac. Nous nous installâmes dans l'appartement de mon père à Achrafieh, qui, heureusement pour moi, n'était pas celui dans lequel il avait été assassiné puisqu'il habitait à ce moment-là dans l'appartement de mon oncle à Baabda.

À notre arrivée à Achrafieh, je constatai que l'appartement avait été laissé totalement à l'abandon depuis la mort de mon père. Il était situé au sixième étage de l'immeuble où j'avais vécu de nombreuses années avec mon grand-père, qui habitait lui, au deuxième. Son appartement était devenu le bureau de mon oncle.

Beyrouth vivait alors une grande pénurie d'électricité qui avait donné naissance à une industrie artisanale de générateurs, s'efforçant d'offrir une alternative à la défaillance du service public. L'ascenseur fonctionnait entre deux coupures d'électricité. Les premiers mots de libanais que mon mari apprit furent : « Mafy ascenseur ! » Pas d'ascenseur ! Nous hissâmes nos valises dans l'escalier et nous installâmes dans l'appartement obscur.

C'était très étrange pour moi de me retrouver là. En apparence, rien n'avait changé. L'atmosphère était la même, hostile, chargée d'une menace sous-jacente. Avant d'aller me coucher, j'entrai dans le bureau de mon père et ouvris un grand placard. Vingt fusils mitrailleurs étaient alignés contre le mur. J'en pris un, le chargeai et mis l'arme sous le lit pour la nuit. Mon mari en fut profondément choqué. Il découvrait soudain un aspect de moi qui lui était inconnu.

Ce voyage fut très important car il me permit de renouer avec quelques-uns des chefs de file

114

du pays et de les entendre parler de mon père. Il semblait presque acquis que j'avais, par héritage, un rôle à jouer dans le nouveau paysage politique. Mais ce n'était pas encore clair pour moi.

Puisque je rencontrais différents leaders libanais, un de mes amis de Washington me suggéra d'avoir une entrevue avec Samir Geagea. Il venait d'être mis à l'écart et confiné dans un village appelé Ghedress, au nord de Beyrouth. Sa position était trouble et tout le monde se méfiait de lui. Il était allé présenter ses condoléances à Hafez El-Assad, dont le fils, Bassel, venait d'être tué dans un accident de voiture. Manifestement, il cherchait à rentrer dans les bonnes grâces des Syriens, car il était en mauvaise posture avec eux. Un de ses proches conseillers avait été arrêté après avoir révélé ses liens avec Israël. Il avait, par ailleurs, refusé un poste ministériel dans le gouvernement pro-syrien, après l'avoir accepté dans un premier temps. Il était évident qu'il jouait sur deux tableaux pour mieux faire son propre jeu, c'est-à-dire apparaître comme le seul leader chrétien envisageable après la mort de mon père et l'exil de Michel Aoun à Paris.

115

Je décidai de rencontrer Geagea à titre personnel. Je ne pouvais pas le faire officiellement parce que les partisans de ma famille le détestaient, beaucoup lui reprochant l'assassinat de mon père. Quelque chose en moi me poussait à voir cet homme. Je voulais le connaître. Cette entrevue devant rester secrète, mon mari et moi trouvâmes le moyen de distraire la vigilance de l'ex-garde du corps de mon père, qui était toujours à nos côtés. En fait, Fred prétexta avoir besoin de faire quelques achats et partit avec lui. Je m'éclipsai vers mon rendez-vous secret.

Je partis dans la montagne et me retrouvai face à une forteresse, cachée derrière des défenses de béton de mortier. Des hommes barbus en faction devant l'immeuble me jetèrent un regard plein de méfiance avant de me conduire à un appartement du rez-de-chaussée. Geagea m'accueillit cordialement et me fit entrer dans une salle de style oriental, décorée d'un patchwork hallucinant de crucifix, d'icônes religieuses et de sanglantes images de guerre. Je m'assis maladroitement et l'écoutai parler d'abondance des événements qui avaient conduit à l'assassinat de mon père. Ses paroles n'avaient aucun sens pour moi et ce qu'il disait semblait incohérent, ce qui me mit immédiatement en alerte. Il ne cessait de répéter à quel point il aimait mon père et quelle belle relation ils avaient partagée. Je savais que c'était un mensonge flagrant pour avoir partagé, moi, de nombreuses discussions avec mon père à son sujet, y compris sur l'aversion et la méfiance qu'il éprouvait à l'égard de cet homme. Je ne pouvais pas croire ce que j'entendais.

Pour jauger exactement les sentiments que Geaga avait pour mon père, il suffit de se reporter à l'interview qu'il accorda au magazine *Al-Maseera*, le lendemain même de sa mort (n° 26, 22 octobre 1990) et dans laquelle il déclarait : *Les Forces libanaises sont un mouvement de résistance... Dany Chamoun était un des nôtres. Il nous harcelait, nous embêtait, nous démolissait mais nous n'allions pas crier ses défauts sur les toits... Lui et Gibran, je les ai portés sur mon dos. Aoun est arrivé et il les a séduits. C'étaient des êtres de peu d'intelligence, ils sont partis avec lui pour accroître leurs bénéfices, comme si la politique était une question de bénéfices et d'affaires. Vous ne pouvez rien face à des attitudes de ce genre. Si vous donnez naissance à un fils qui ne vit pas selon vos attentes, allez-vous le tuer ?*

Ce n'étaient pas là les propos de quelqu'un qui tient l'autre en haute estime. Assise face à

117

lui, à écouter ses commentaires aberrants sur mon père, je bouillonnais. Il me fit alors une diatribe sur le rôle des chrétiens dans l'histoire du Liban et sur sa propre vocation. Il parlait de lui comme d'un messie chargé d'une mission divine. À ce stade, en ayant assez entendu, je décidai qu'il était temps de partir. Sur le seuil de la porte, Geagea me tendit la main. J'en fis autant. Au contact de sa paume dans la mienne, je sentis mon sang se glacer. Une sensation indescriptible s'empara de moi. Et j'eus l'intuition fulgurante, certaine, que je serrais la main de l'homme qui avait tué mon père.

Je ne comprendrai jamais pourquoi j'ai eu ce sentiment. Contrairement à d'autres, je ne lui attribuais pas ce crime. J'avais toujours pensé que c'étaient les Syriens. Mais à cet instant précis, mon monde chavira et cette idée horrible s'empara de moi, alors même que je n'avais aucune preuve contre lui à l'époque.

Quand je retrouvai mon mari, il comprit au premier regard qu'il s'était passé quelque chose. Je lui racontai tout. Il fut aussi secoué que moi. Cette nuit-là, je ne dormis pas. Je sentais rôder autour de moi la présence menaçante de Geagea et un énorme sentiment de désespoir m'envahis-

118

sait. Je ne pouvais rien faire. Comment pourrais-je jamais établir la vérité ?

Peu de temps après, je retournai seule à Paris. Fred était rentré aux États-Unis pour travailler. Il me semblait que j'étais au bout d'un chemin. La promotion de mon livre *Au nom du père* était arrivée à son terme. Les nombreuses conférences, qui m'avaient fait oublier un temps mon sentiment d'impuissance, étaient également terminées.

La veille de mon vol de retour pour Washington, j'étais dans mon bain dans le petit appartement que nous avions loué sur la rive gauche, en train d'écouter les paroles d'une chanson de Mariah Carey intitulée « Hero » dont voici la traduction :

« Puis un héros arrive

Avec la force de continuer

Et tu te libères de tes peurs

Et tu sais que tu peux survivre

Alors quand tu sens qu'il n'y a plus d'espoir

Regarde à l'intérieur de toi et sois fort

Et tu verras finalement la vérité

Qu'un héros est en toi »

Les mots résonnaient dans ma tête et je fus envahie par un pressentiment. Mon destin était ailleurs et j'étais de nouveau à la croisée des chemins. Instinctivement, je comprenais qu'il y avait dans ma vie un travail qui n'était pas terminé. Je devais m'y atteler. Je me sentais incomplète.

Mon trajet vers l'aéroport Charles-de-Gaulle ce matin-là fut lourd, pénible ; le vol de retour long et fatigant. À Washington, je pris un taxi et fus accueillie à la maison par Fred qui me dit que je devais rappeler d'urgence le Liban.

Le 27 février 1994, une bombe avait explosé dans l'église de Sayyidet Al Najet (Notre-Dame de la Délivrance) dans la localité chrétienne de Zouk, tuant neuf personnes et blessant de nombreux fidèles. Certaines factions affirmaient que c'était le travail des Syriens, mais d'autres preuves dirigeaient l'accusation sur Samir Geagea. Sa milice avait eu souvent recours, dans le passé, à des tactiques d'intimidation, y compris au racket. Parce que cet attentat était survenu après la mise en application de la loi d'amnistie générale décrétée à la fin de la guerre, les autorités allaient pouvoir l'arrêter. Son implication dans cette tragédie ne serait jamais prouvée mais c'est grâce à l'enquête sur l'attentat de l'église de Zouk que nous allions pouvoir faire la lumière sur les véritables auteurs de l'assassinat de mon père et de ma famille. Car elle allait nous permettre de découvrir des preuves et des témoins de l'implication directe de Samir Geagea.

Le responsable de l'enquête, qui se trouvait être un ami de longue date et un fidèle de ma famille, avait réussi à retrouver la trace de la personne ayant fourni les uniformes de l'armée libanaise aux assassins de mon père. Cette information avait conduit à la capture du chauffeur du véhicule qui transportait les assaillants, le matin de la fusillade. Ces deux arrestations et les témoignages recueillis entraînaient d'autres confessions. Il y avait suffisamment d'éléments pour constituer un dossier contre Samir Geagea et procéder à sa mise en accusation. Selon le système judiciaire libanais, il serait considéré coupable jusqu'à la preuve de son innocence. Un ami très cher, magistrat hautement qualifié, Mounir Honein, était chargé de rédiger le dossier d'accusation.

Je réalisai qu'il me fallait faire demi-tour. Je devais rentrer à Beyrouth pour poursuivre l'enquête. Fred ferait des allers-retours des États-Unis aussi souvent qu'il le pourrait. Je repartis peu après.

Onze crimes de guerre n'étaient pas couverts par la loi d'amnistie générale. L'assassinat de ma famille avait été si choquant et si atroce qu'il faisait partie du nombre. Assise dans l'avion qui me ramenait au Liban, quatre ans après le décès tragique des miens, je savais que la route serait longue et ardue mais j'avais enfin l'impression de faire quelque chose de constructif pour que la vérité soit faite sur ce massacre.

Fierté, colère
Et avidité aussi
À tour de rôle
Te contrôle
À travers ton Moi
Né sans foi
Tandis que ton âme
Te guide ici-bas
Pour voir le but
De te détacher
De tout et encore
La seule volonté
C'est de lâcher
Colère et culpabilité
Ne te cache point
Surtout oublie la honte
On est tous à se demander
Comment changer sa destinée

Extrait
« Nulle part où se cacher »

5.

J'arrivai au Liban juste avant l'arrestation de Geagea. On envoya des blindés ceinturer son domicile de Ghedress. Puis il fut placé en garde à vue au ministère de la Défense où il resta pendant toute la durée de son incarcération.

Dès mon retour sur le sol libanais, les médias s'abattirent sur moi. Je fus aussi entourée de mesures de sécurité de plus en plus strictes au fur et à mesure qu'avançait la préparation du procès de Geagea pour le meurtre de ma famille. Je me fis un devoir de participer à toute l'enquête. Pour la tranquillité de ma conscience, je voulais m'assurer que les choses seraient faites avec toute l'attention nécessaire et dans la plus grande intégrité. Je travaillai étroitement avec tous, y compris de hauts fonctionnaires du ministère de la Défense.

Ma plus grande surprise, durant toute cette période, fut de découvrir la puissance dont disposait la machine de propagande des Forces Libanaises pour répandre ses mensonges sur l'innocence de Geagea. Dès l'ouverture du procès, la section des relations publiques se mobilisa tout entière pour travailler à blanchir son image et à le présenter comme une victime de l'ordre syrien au Liban. Geagea s'obstina à prétendre que les preuves à charge contre lui étaient fabriquées. Il accusa les Syriens de l'avoir fait tomber dans un guet-apens pour l'éliminer politiquement et il m'accusa d'être un pion dans leur jeu. Je n'étais le pion de personne. J'étais là parce que je voulais y être. Il n'y avait aucun autre endroit au monde où j'aurais voulu être, puisque c'était ici que je pouvais savoir qui avait vraiment tué mon père et ma famille.

Il ne fait aucun doute que les Syriens et le Premier ministre Hariri voulaient se débarrasser de Geagea. Son refus de prendre le poste qu'ils lui offraient dans le nouveau gouvernement les avait rendus furieux. Il jouait au Libanais loyal

126

alors que, quelques années plus tôt, il avait combattu à leurs côtés pour renverser Michel Aoun et l'armée libanaise.

À leur façon typique de faire, les Syriens se targuèrent quand même d'avoir cessé de protéger Geagea, d'avoir permis que des preuves contre lui soient exhumées et d'avoir autorisé son arrestation. Mais le fait est que les preuves de l'implication de Geagea dans le meurtre de ma famille étaient flagrantes et se suffisaient à elles-mêmes. Qu'un criminel de la guerre civile libanaise soit traduit en justice n'en restait pas moins un fait rarissime. Mais puisque cela m'était donné, je voulais suivre entièrement l'affaire afin que toute la vérité soit faite.

Ayant donc assisté à toute l'enquête depuis le début, je peux témoigner du fait qu'il n'y a pas eu de coup monté des Syriens contre Samir Geagea. Si les preuves de sa culpabilité ont été exhumées, c'est grâce au travail d'un officier supérieur de l'armée libanaise qui adorait mon père et a voulu que ses assassins soient traînés devant la justice. C'est son engagement total à dévoiler la vérité qui a permis de faire la lumière sur cette affaire.

Trois personnes, dont Samir Geagea, furent placées en détention dès le départ et inculpées de meurtre. Le reste des accusés avait fui le pays. Geagea avait personnellement veillé à ce que les hommes directement impliqués dans l'assassinat soient expédiés à l'étranger tout de suite après. Il avait également ordonné que leur soient transférés des fonds. La plupart des membres du commando des assassins furent envoyés au Brésil, où ils restèrent, hors de portée d'Interpol. Ces mesures n'allaient servir qu'à aggraver la culpabilité de Geagea : il avait tenté de briser la chaîne qui permettait de remonter du crime jusqu'à son commanditaire.

Au nombre de ceux que Geagea exila en les arrosant de ses largesses, figurait Ghassan Touma, qui dirigeait alors le Département de la sécurité des Forces Libanaises. Il fut condamné par contumace mais finit par aller s'installer aux États-Unis, dans l'État de Virginie, où il vécut grâce aux cartes de crédit que lui finançait la CIA. Sa demande officielle d'extradition fut rejetée par les autorités américaines. Ghassan Touma avait été le responsable de toutes les questions de sécurité au Liban. Tony Obeid fut également condamné par contumace. Il avait la charge de la division de la protection et des interventions du département de la sécurité des Forces Libanaises. Ghassan Touma et lui étaient à l'égard

de Geagea d'une soumission totale. Les deux
hommes étaient des compagnons de la première
heure. Ils avaient enduré les épreuves et l'adver-
sité avec lui quand il était le leader du Front des
Forces Libanaises dans le nord à Deir al-Qattara.
Tony Obeid avait assuré la protection personnelle de Geagea pendant de nombreuses années
avant de rejoindre ce qu'ils appelèrent la division
d'interventions.

Fouad Malek, chef d'état-major des Forces
Libanaises et témoin important au procès,
confirma devant les juges que Samir Geagea avait
une relation particulièrement étroite avec Ghassan Touma et Tony Obeid. Il affirma qu'une
opération d'une telle ampleur, visant à assassiner
Dany Chamoun, n'aurait jamais pu être réalisée
à l'insu de Geagea et sans son consentement for-
mel. Ce dernier contrôlait absolument tous les
secteurs des Forces Libanaises et particulièrement
le département de la sécurité.

Le procès révéla que Ghassan Touma avait été
chargé du commandement des opérations, lors
du massacre et Tony Obeid de l'organisation
logistique. C'est lui qui avait fourni les équipements nécessaires et assuré la formation du commando qui eut lieu dans les silos abandonnés du
cinquième bassin du port de Beyrouth.

En 1989, au moment où la guerre faisait rage entre les Forces Libanaises et Aoun, celles-ci avaient envahi et occupé le siège de notre parti politique dans le bâtiment SNA à Achrafieh. Il fut révélé au cours du procès que Touma et Obeid avaient coordonné sans vergogne l'assassinat de mon père, assis à son bureau.

Plongée dans ce monde hideux, j'eus la chance d'être entourée par un groupe de supporters fidèles qui n'hésitèrent pas à mettre leurs vies entre parenthèses pour poursuivre Samir Geagea en justice et me protéger. Tous ces jeunes hommes et femmes, la secrétaire de mon père, ses gardes du corps, ses collègues que je ne nommerai pas pour des raisons de sécurité, se groupèrent autour de moi et m'aidèrent d'une manière inconditionnelle, compte tenu du danger qu'ils faisaient courir à leur propre vie et à celle de leur famille. La situation était telle que l'armée libanaise nous délivra des permis de port d'armes de tous calibres, y compris des fusils mitrailleurs.

Personnellement, j'étais habituée à cette vie entourée d'armes et de miliciens et il ne me fut pas difficile de m'adapter aux circonstances. Mais, cette fois-ci, la menace ne venait pas des forces syriennes ou des factions palestiniennes mais bien des Forces Libanaises chrétiennes et des partisans de Geagea.

Le procès d'assises eut lieu au palais de justice. À raison d'une journée d'audience par semaine, il dura deux ans. Il était présidé par la Cour suprême du pays, représentée par cinq juges, deux chrétiens, deux musulmans et un magistrat druze. Le procureur général était Mounif Oueidat de la région du Chouf, un homme honorable et un allié de longue date de mon grand-père Camille Chamoun. Les audiences eurent lieu dans une vaste salle qui contenait au moins quatre cents personnes.

Du côté des politiques, mes principaux soutiens à cette époque étaient Émile Lahoud qui était à la tête de l'armée et Rafic Hariri qui était Premier ministre. Ironie du sort, dans la longue et difficile histoire de leur relation, l'arrestation de Samir Geagea fut l'une des rares affaires dans lesquelles les deux hommes furent d'accord sur tout.

En 1994, Beyrouth accusait encore le choc de dix-huit ans de dévastation et d'anarchie. Des montagnes d'ordures puantes souillaient les rues. Les services publics fonctionnaient à peine et personne n'avait payé ses factures depuis des années. Les routes étaient défoncées, la plupart des bâtiments exhibaient toujours les cicatrices de la guerre, des façades criblées d'impacts et de trous béants laissés par les bombardements.

Le nouveau gouvernement, sous tutelle de la Syrie, s'activait autour de différents projets de reconstruction. En gros, ses membres les distribuaient à leurs protégés, parents et associés, en empochant de solides commissions. Les anciens seigneurs de la guerre, devenus ministres, ont fait fortune à cette époque.

Hariri faisait main basse sur tout ce qu'il pouvait, y compris le centre-ville, le plus touché par la guerre, où il élabora un plan de réaménagement urbain colossal. Il semblait avoir des intérêts financiers dans tout ce qui générait des bénéfices au Liban, jusqu'à l'entreprise chargée du ramassage des ordures et des conteneurs à déchets disposés le long des trottoirs du centre-ville, dont il était propriétaire. À la pointe de la presqu'île de Beyrouth se dressait une décharge d'ordures que les gens appelaient en plaisantant *Jabal Hariri*, le Mont Hariri.

Il manifestait pour les affaires un appétit déshonorant qui le poussa, notamment, à simplifier le code des impôts afin d'offrir des allègements fiscaux aux investisseurs étrangers. Avec l'appui des pétrodollars d'Arabie, Hariri acquit très vite une puissance économique énorme qui lui donna une aura d'invulnérabilité. Dans le même temps, sa montée en puissance commençait à éroder sa popularité parmi les dirigeants syriens qui, au fil des années, finirent par voir en lui une menace pour leur propre hégémonie.

Sous couvert de son entreprise « Solidere », Rafic Hariri s'appropria une large bande de terre dans le centre de Beyrouth, sur l'ancienne ligne verte, destinée à la reconstruction et au développement immobilier. Il réussit à obtenir quelque deux cent trente hectares, d'une valeur immobilière de deux milliards de dollars, pour réaliser son projet, grâce à l'accord éminemment discutable du gouvernement qu'il présidait et du parlement sur lequel il exerçait un contrôle politique. Ce projet de développement fut émaillé d'histoires d'expropriations forcées et de spoliations. Les propriétés furent grossièrement sous-évaluées et même, dans certains cas, réquisitionnées par l'État. « Solidere » devint l'entreprise la plus puissante de la nation. Elle opérait sous la supervision du Conseil pour le Développement et la Reconstruction, une structure officielle, elle-même affiliée au bureau du Premier ministre. Dans n'importe quel autre pays

133

on aurait crié à la corruption. Le conflit d'intérêts était manifeste et aurait été convenablement réglementé. Pas au Liban, où les décisions du gouvernement s'apparentent souvent à un abus de biens sociaux.

On peut dire que la puissance financière et l'omniprésence de Rafic Hariri changèrent définitivement l'équilibre des pouvoirs, en les faisant passer des mains d'une oligarchie dominante chrétienne à une autre sunnite. La personne et la richesse de M. Hariri éclipsèrent également la plupart des familles sunnites traditionnelles. Son règne inaugura une nouvelle dynastie à la tête de laquelle se trouvaient sa propre famille et ses amis.

L'atmosphère qui régnait au Liban dans les années 1990 était très trompeuse. La paix régnait officiellement mais l'occupation syrienne pesait de tout son poids. Rien ne pouvait se faire sans l'approbation des Syriens. C'était profondément décourageant pour les gens qui avaient cru en un nouveau départ. La situation n'avait rien de nouveau. Elle était empestée par les mêmes divisions qu'avant. Celles-ci s'étaient tout simplement institutionnalisées peu à peu. Il m'est douloureux de repenser à cette période où j'étais seule à mener une guerre terminée. Le pays tout entier était censé être désormais en paix mais il me fallait mener, dans une cour de justice, la même guerre ancienne qui avait opposé, dans les rues, mon père et l'armée du général Aoun – désormais exilé en France – aux milices de Geagea.

Je dus faire face à de grands défis. À bien des égards, je fus diabolisée par les médias et la propagande des Forces Libanaises. Geagea disposait d'un essaim de reporters efficaces et grassement rétribués pour peaufiner son image. Pour assurer sa défense, une équipe de près de cent cinquante avocats se relayaient aux séances du tribunal. Il s'agissait, pour la plupart, d'ex-miliciens qui avaient troqué leur tenue de combat contre la robe noire. Ils remplissaient l'aile droite de la salle d'audience. La foule des partisans de Geagea, amenés en autobus de son village de Bcharré jusqu'au tribunal, envahissait les deux côtés de la vaste salle de la Cour suprême. Sa femme et la famille proche s'asseyaient au premier rang.

Se rendre au palais de justice était une aventure en soi. Toutes les routes étaient bloquées par des barrages de l'armée. Geagea arrivait au tribunal dans un fourgon blindé, escorté par des dizaines de soldats qui continuaient à l'encadrer dans la salle d'audience, créant entre le public et lui un bouclier humain hérissé de fusils mitrailleurs dont il émergeait à peine. Chauve, grand, émacié, il restait assis dans leur ombre regardant d'un air maussade par-dessus la barre des témoins.

Je redoutais ces séances. Il me fallait prendre mon courage à deux mains pour m'avancer dans cette salle pleine de dégoût et de haine envers moi. Aux yeux des partisans de Geagea, j'étais l'instigatrice, la mauvaise. Au fil des ans, j'avais pris l'habitude que les gens me détestent, cette attitude ne me prenait pas au dépourvu mais elle restait une source constante de désarroi. Seuls quelques amis chers, mon mari et ma fidèle équipe de supporters m'accompagnaient. Ma mère assista aussi à une ou deux séances lorsqu'elle vint nous voir de Londres. Ensemble, nous remplissions les quatre premiers rangs de cette vaste salle qui regorgeait de centaines d'hommes de Geagea.

Mon oncle et la plupart des membres de la famille restèrent à l'écart du procès. Le parti politique avait pris deux avocats. Le mien était Maître Joseph Mikhael, l'avocat de ma sœur Maître Rachad Salameh et l'avocat du père d'Ingrid Maître Joseph El Hachem.

Voilà ce que fut ma vie pendant près de deux ans. Entre chaque séance hebdomadaire de la Cour, j'étais occupée à contrer les attaques de la bande de Geagea. Je passais le plus clair de mon temps à essayer de limiter les dégâts engendrés par l'audience précédente, qu'il s'agisse de l'intimidation des témoins par la défense ou des manigances juridiques qu'elle utilisait pour faire dérailler la procédure. Dans un premier temps, ils réussirent à boycotter le procès pendant des mois grâce à une succession de subterfuges et de séances d'obstruction systématique. Il en résulta des retards sans fin mais le magistrat Mounir Honein avait instruit le dossier avec minutie et concision. L'acte d'accusation rassemblait des faits irréfutables qui ne pouvaient être occultés à jamais. Et le procès commença enfin.

Si Samir Geagea devait être reconnu coupable d'un crime, le meurtre de ma famille en l'occurrence, alors tous les autres faits pourraient lui être reprochés. Il s'agissait notamment de l'assassinat d'un des leaders chrétiens des Forces Libanaises, Elias Zayek et de celui de l'ex-Premier ministre, Rachid Karamé. Ce dernier fut, lui aussi, victime d'une opération menée avec précision. Une bombe, placée sous son siège d'hélicoptère explosa et le tua en vol. Le pilote réussit

137

à se poser malgré tout et les autres passagers furent emmenés à l'hôpital. La bombe avait été activée à partir d'un bateau, au moment même où l'hélicoptère le survolait.

Rétrospectivement, si l'on considère le palmarès de Geagea, le meurtre de ma famille et l'assassinat des Frangié ne sont jamais que quelques-uns des crimes qui ont jalonné son ascension sanglante vers le pouvoir. Il aurait été également responsable, en 1984, de l'assassinat de Ghaith Khoury qui représentait une menace potentielle pour son poste de commandement. Khoury fut tué devant une station balnéaire dans la région de Byblos. Sa femme, blessée dans l'attaque, fut hospitalisée. Ils vinrent l'achever sur la table d'opération.

Entre 1989 et 1990, quand elles luttaient contre Aoun, les Forces Libanaises exécutèrent des soldats de l'armée libanaise de balles dans la nuque, aux camps de Nahr al-Mott et Boustat al-Mathaf. Ils arrêtèrent, emprisonnèrent et torturèrent des familles de soldats. Le 1ᵉʳ octobre 1990, les Forces Libanaises attaquèrent un groupe de civils, des universitaires, hommes et femmes, qui manifestaient pour la paix. Ce jour-là, ils tuèrent et blessèrent plus d'une centaine de personnes.

Pendant l'instruction du procès, Geagea admit qu'au terme de la violente opération militaire du 15 janvier 1986 qui lui avait permis de prendre à Élie Hobeika la direction des Forces Libanaises, il avait ordonné à Ghassan Touma de poursuivre son ennemi à Zahlé. Touma chargea alors un prêtre de faire sauter le siège de l'archidiocèse catholique grec de Zahlé. Élie Firzli, personnalité politique éminente, ancien ministre et l'un des députés leader du parlement, fut blessé dans l'explosion. Son visage porte encore les cicatrices de cet attentat qui prit d'autres vies mais pas celle de sa cible désignée, Hobeika, car l'explosion eut lieu avant que les participants à la réunion n'aient pénétré dans la zone. Après cette tentative ratée, la voiture de Hobeika sauta à Achrafieh, tuant son chauffeur.

En octobre 1988, Geagea chargea son collègue, Karim Pakradouni, de faire parvenir un message verbal au président Amine Gemayel, le sommant de se retirer de la politique et de quitter immédiatement le pays. Gemayel appela aussitôt le procureur de la République pour l'en informer et lui demander de consigner son témoignage. Le procureur le fit le 11 octobre 1988 et déclara dans ses registres : *Son Excellence l'ancien président nous a officiellement informés de ce qui suit : Le sixième jour de ce mois, il a appris de son secrétaire que M. Karim Pakradouni souhaitait le rencontrer à son domicile et il a refusé.* Gemayel apprit par la suite que M. Pakradouni avait téléphoné à son épouse Joyce pour l'informer officiellement que, sur décision de Geagea, il devait quitter le Liban dans les deux ou trois jours, sinon lui et sa famille seraient éliminés. Gemayel quitta alors le pays convaincu de la gravité du message et de la détermination de son expéditeur. Geagea n'était pas homme à accepter qu'on lui résiste.

Il convient de rappeler que Geagea estimait du devoir de tous les leaders chrétiens d'en référer à sa personne. À ses yeux, son rôle de commandant de la milice chrétienne la plus puissante lui conférait un droit naturel à exercer le leadership militaire sur toute la communauté. De fait, l'antagonisme entre mon père et lui atteignit son paroxysme lorsque mon père annonça sa candidature à la présidence en 1988, et cela, sans le consulter. Dans les déclarations qu'il fit aux journaux de l'époque, mon père décrit Geagea comme un homme habité par le désir de devenir le potentat de la région Est, et par la haine envers lui.

Leurs relations subirent une dégradation pro-
gressive à partir du décès de mon grand-père
Camille en 1987. Sa mort laissait le poste de
chef du Front Libanais vacant. Mon père estima
que la coutume voulait qu'il préside le Front
puisqu'un membre du parti phalangiste, Samir
Geagea en l'occurrence, dirigeait les Forces Libanaises. Geagea n'étant pas d'accord avec lui favorisa l'élection de Georges Saadé, empêchant ainsi
Dany de devenir le leader en lieu et place de son
propre père. Ce fut son premier coup de poi-
gnard dans le dos. En outre, le bureau politique
étant alors dominé par le parti phalangiste, le
Front se réorienta politiquement en faveur de la
Syrie. En conséquence, mon père décida de créer
un nouveau parti, le « Nouveau Front Libanais »
qui n'était pas pro-syrien. Il en devint le chef et
nomma Gibran Tueni, héritier du journal *Al-
Nahar*, secrétaire général. Sous cette nouvelle
bannière, mon père prit alors un certain nombre
de décisions qui témoignaient toutes de son soutien entier au général Aoun. Il condamna verba-
lement la conduite des Forces Libanaises, les
accusant de perpétrer des massacres et de dévier
de leurs principes. Il demanda également aux
membres de son parti, le Parti National Libéral,
ainsi qu'à d'autres organisations politiques indé-

pendantes, de quitter le Front Libanais. En sa qualité de responsable du Nouveau Front Libanais, il annonça ensuite son intention de dissoudre la milice des Forces Libanaises et de transférer ses équipements et son matériel militaire à l'armée régulière.

Cette impasse politique a été décrite au procès et expliquée en détail dans le jugement qui stipule : *Le problème ne se limitait pas à un affrontement et des récriminations politiques. Les racines du conflit étaient beaucoup plus profondes et affectaient les croyances et les aspirations les plus chères de M. Geagea.*

Geagea, qui avait pris le pouvoir des Forces Libanaises en janvier 1986, cherchait à consolider son leadership en exerçant un contrôle sur ses membres par le biais d'une organisation hiérarchique. Il s'assurait de sources de financement pérennes par l'imposition de taxes exorbitantes de toutes sortes. Comme il avait les hommes, les armes et les fonds, c'est lui qui commandait en usant de mots d'ordre divers, dans la résistance et la sécurité avant tout de la communauté chrétienne. Il prenait des mesures pour s'assurer que personne ne conteste son leadership. Aucun dirigeant chrétien ne devait prendre une décision ou une position sans le consulter au préalable et obtenir son consentement.

Le jugement indique également sans équivoque : *Les choses sont restées supportables pour Geagea tant qu'il possédait une puissance financière et militaire et qu'il était en mesure de les utiliser pour maintenir le contrôle, par la séduction et l'intimidation, sur la communauté chrétienne. Mais les circonstances ont changé après l'accord de Taëf qui stipulait le démantèlement des milices.*

Selon le texte du jugement final, Geagea voulut alors créer un bloc politique qui soit *sous sa direction et dont tous les partenaires poursuivent une politique fondée sur ses théories. En l'occurrence, il s'agissait des leaders chrétiens qui avaient de bonnes relations avec Geagea à l'époque (le parti des Phalanges et ses dirigeants) et de ceux qui avaient été renversés militairement ou avaient perdu leur liberté de s'engager en politique parce qu'ils étaient confrontés à des poursuites ou à l'exil (le général Aoun ou ceux qui avaient été contraints de s'exiler comme le président Amine Gemayel sur les ordres de Geagea).*

Il était évident qu'une fois la guerre terminée, les milices seraient désarmées et perdraient de ce fait leurs avantages stratégiques et militaires. À ce moment-là, les politiques modérés, tels que mon père, se seraient certainement vu offrir des postes dans le nouveau gouvernement. Le fait que mon père était le seul héritier légitime de la base politique chamouniste signifiait qu'il était destiné à devenir le leader d'une large partie de la population chrétienne.

Dans le nouveau contexte politique, le monde de Geagea aurait radicalement changé. Au lieu de gouverner la province de l'Est, rôle pour lequel il avait travaillé très dur toutes ces années, il aurait couru le risque d'être marginalisé et de ne pouvoir concrétiser ses ambitions sans partage sur le leadership chrétien. Une ambition qui était devenue évidente lorsqu'il avait refusé obstinément de rejoindre les gouvernements formés après l'accord de Taëf. Il ne pouvait pas accepter de devenir une figure comme une autre dans le paysage politique.

Cette conjoncture, qui présageait de son déclin, força Geagea à prendre des mesures pour s'imposer dans le nouvel environnement politique. Il lui fallait faire vite, avant l'appel au désarmement et avant que la loi d'amnistie n'entre en vigueur, s'il voulait profiter de l'immunité qu'elle garantissait pour tous les crimes commis avant sa promulgation.

Il conçut un plan pour éliminer mon père, recruta des hommes et les fit entraîner pendant

144

des semaines dans le bassin numéro 5 du port de Beyrouth, contrôlé par les Forces Libanaises. Lors d'une réunion d'évaluation qui eut lieu à Ghedress, après les événements du 13 octobre 1990 et l'entrée des Syriens, Geagea tint à Ghassan Touma, chef de son Département de la sécurité, des propos qui témoignent de ce que l'affaire pressait. Ceux-ci furent rapportés dans le témoignage du chef du Département du Renseignement étranger aux Forces Libanaises, qui assistait à la réunion avec les chefs des autres départements. Il me les a confirmés personnellement un peu plus tard.

Il entendit Geagea dire à Ghassan Touma : *Je ne veux pas d'un autre Suleiman Frangié dans la région.* Suleiman Frangié était, depuis le massacre de sa famille, l'héritier d'une dynastie politique traditionnelle. L'autre héritier restant était Dany Chamoun. Et après lui, ses fils. Ce qui signifiait qu'il fallait éliminer tous les enfants de sexe masculin de ma famille. Après cette remarque, Geagea demanda à Touma : *As-tu fait le travail que je t'ai demandé ? – Nous avons envoyé les gars faire un tour et je te dirai dès leur retour,* lui répondit-il. En d'autres termes, il parlait du groupe d'intervention qu'il avait chargé de procéder à une

145

reconnaissance, dans la zone entourant le lieu de résidence de mon père.

Il s'avéra que ce n'était pas la première fois que Geagea envisageait ou ordonnait l'assassinat de mon père. Il y en avait eu une autre. Elle fut révélée par les dépositions des témoins durant le procès.

En juillet 1990, Geagea ordonna à ses services de sécurité de préparer une opération pour assassiner Dany. Un membre des Forces Libanaises, Georges Khallat, contacta Youssef Ghalayini. Ce dernier avait des difficultés financières et Khallat lui demanda s'il voulait mener à bien l'opération pour une somme considérable. Dans cette optique, Ghalayini fut ensuite mis en contact avec le Département de la sécurité des Forces Libanaises.

La transcription du jugement reprend le témoignage de Youssef Ghalayini :

Il fit semblant d'accepter après en avoir informé un agent de renseignement de l'armée libanaise. Ce dernier lui demanda de donner son accord aux dirigeants des Forces de sécurité. Youssef Ghalayini rencontra donc Rafik al-Fahl et un certain Tony al-Amm qui lui dit par la suite être Tony Obeid, chef de la Division de la protection et des interventions du service de sécurité.

146

Le 25 juillet 1990, ils se rendirent tous les trois dans l'immeuble de la sécurité de Karantina où Tony Obeid expliqua à Ghalayani ce qui lui était demandé, à savoir : assassiner Dany Chamoun et ses compagnons. Il précisa le lieu, situé dans le quartier Dekwaneh, de Mar Roukoz où Dany Chamoun allait chasser. Il fut donné à Ghalayani une voiture Renault, avec une procuration à son nom afin d'effectuer des reconnaissances du site choisi pour l'exécution. Ghalayini tint Maroun Khoury informé et celui-ci transmit l'information à l'agent du Département du renseignement qui lui ordonna de continuer et de rester en contact. Ghalayini retourna ensuite au centre de la sécurité de Karantina où Tony Obeid et ses assistants préparèrent vingt kilogrammes d'explosifs avec le câblage et les détonateurs et lui donnèrent une arme de poing de 7 mm équipée d'un silencieux. Ils dissimulèrent les explosifs et les accessoires dans une Mercedes 280 dont ils lui remirent les clés, après lui avoir montré comment placer les explosifs à l'emplacement précis. Ils lui donnèrent l'instruction de retirer la batterie utilisée pour déclencher l'explosion si Dany Chamoun ne se présentait pas. Ils lui dirent également que sa mission serait terminée dès qu'il aurait placé la batterie et les explosifs sur le site et que quelqu'un d'autre se chargerait de la mise à feu. Ils lui promirent une récompense et l'informèrent que l'assassinat aurait lieu le 5 août 1990. Mais Ghalayini livra la voiture au Département du renseignement militaire et un expert de l'armée fit sauter les explosifs en lieu sûr après les avoir retirés de la voiture.

Comme Ghalayini ne revint pas au Département de la sécurité, des membres du département enlevèrent son épouse Fabiola par vengeance et la maintinrent en détention durant trois mois et demi, alors que lui et ses enfants fuirent en Egypte avec l'aide de l'armée et ne furent de retour qu'après un mois et demi.

Tous ces éléments furent réunis au cours des audiences d'instruction afin de consolider le dossier contre Geagea. La défense fut incapable de réfuter ces conclusions, de même que toutes les preuves apportées durant la procédure, sur le motif, les moyens et la volonté de mener à bien le meurtre horrible qui fut perpétré contre mon père et ma famille. La culpabilité de Geagea était plus difficile à nier à mesure que le procès avançait. Ce fut terrible pour moi d'avoir à écouter les détails de cette opération mais, sur un autre plan, je me devais à moi-même ainsi qu'à ma famille de connaître toute la vérité.

Je le sais
ma douleur
Elle est vraie
Car je la vis

Piégée par mes pensées
Circulaires parfois crispées
Je dois calmer mon esprit
Trouver la paix et me libérer
Des démons
Qui prennent possession.

Je me bats contre l'oubli
Contre cette triste entrave
D'un souvenir endeuillée
De ma divinité incarnée

Née dans la vie et la mort
Je ne suis que mon souffle
Et je dois me rappeler
De tout abandonner
Pour échapper à la peur
Qui cherche à m'éclipser

Extrait
« Ma douleur est réelle »

6.

Un des moments les plus douloureux de toute cette période fut celui où je dus me débarrasser des vêtements et des affaires personnelles de mon père. Chaque objet portait en lui un souvenir, une trace de sa présence et de sa vie intime. Il fut assassiné dans la fleur de l'âge, à cinquante-six ans. Il était solide, dynamique et passionné. Il vivait chaque instant avec intensité. Sa mort fut une tragédie sans égale et le meurtre des enfants et d'Ingrid ajouta à l'horreur et à l'absurdité de cet acte.

Lors du tri de ses vêtements alors que je rangeais un des tiroirs de sa commode, je tombai sur une note secrète, cachée dans un coin sous ses chaussettes. Quelqu'un lui confiait une conversation qu'il avait entendue entre Geagea et ses hommes, dans un endroit nommé Amchit. Ils complotaient pour le tuer.

Ce fut un choc de réaliser qu'il savait ce qui l'attendait. Il avait toujours été fataliste, sinon il n'aurait jamais pu se montrer aussi courageux aux pires heures des combats. J'ai entendu tellement d'histoires de ses exploits sur le champ de bataille. Il se plaçait toujours sur la ligne de front pour protéger ses propres hommes, osait s'aventurer là où les autres avaient peur d'aller, risquait résolument sa vie pour en sauver d'autres. Il était naturellement héroïque. Cet héroïsme a fini par lui coûter la vie. Mais pour un soldat ou un commandant de troupes, je comprends maintenant qu'il n'y a pas de meilleure façon de mourir que dans l'exercice de ses fonctions. Chaque fois que je regrette le choix fatidique qu'il a fait de rester avec les siens plutôt que de fuir, je me rappelle qu'il l'a fait en connaissance de cause. Sa mort a été un acte de résistance, le dernier. L'ignominie de cet assassinat tient au fait que sa femme et ses enfants, mes frères, furent sauvagement exécutés à ses côtés. C'est ce qui en a fait un crime odieux, prémédité et non un acte de guerre.

La lettre trouvée dans le tiroir faisait désormais partie des documents du procès. Elle avertissait mon père que ses tueurs viendraient déguisés avec des uniformes de l'armée libanaise. Un de ses gardes du corps témoigna au procès que, quelques jours avant sa mort, il était sur le balcon avec mon père. Celui-ci était abattu par le tour qu'avait pris les événements et lui confia dans un moment de résignation : « Ils viendront me tuer vêtus d'uniformes de l'armée libanaise. »

C'est exactement ce qui se passa. L'information suivante est tirée d'un document versé au dossier en date du 24 juin 1994, et figure dans le jugement. Elle est importante car les circonstances qui entourent la mort de mon père font toujours l'objet d'un déni. Beaucoup de gens me demandent encore si je sais qui a tué mon père. Cela me stupéfie car tous les renseignements sont disponibles. Mais ils ont été occultés par la propagande de Geagea. Pis encore, le temps passant, les vraies raisons de l'assassinat de Dany Chamoun ont été gommées par les historiens révisionnistes d'une société qui semble glorifier ses assassins en les transformant en leaders.

Très peu de gens ont lu les actes du procès. Ils ont pourtant été publiés en détail dans les journaux chaque semaine. Le jugement donnait une description exhaustive de l'opération qui joue un rôle clé dans l'établissement de la vérité sur les événements qui se déroulèrent en ce jour noir. Comme le dit le dicton : « Nier les faits ne change pas les faits. » En voici un extrait détaillé :

Les membres de la protection et la division d'intervention des Forces Libanaises, qui ont mis à exécution les plans de l'assassinat, portaient des uniformes de l'armée libanaise. Le défendeur Jean Youssef Chahine, l'un des hommes arrêtés, a été chargé de fournir ces uniformes, prélevés sur un stock pillé par les Forces Libanaises quand elles avaient occupé la caserne de l'armée à Sarba.

Trois jours avant le meurtre de Dany, Tony Obeid, homme de confiance de Geagea, est venu faire son rapport à Ghassan Touma. Accompagné de Jean Chahine et d'Atef Al-Haber, il a ramassé le carton contenant les uniformes militaires pour le déposer au bureau de Georges Feghali situé face à l'entrepôt de Karantina, leur quartier général.

Dans la soirée du samedi 20 octobre 1990, le défendeur Tony Obeid a appelé Rafik Saadeh et lui a demandé de fournir à Atef Al-Haber des fusils mitrailleurs Ingram et cinq armes de poing, quand il arriverait vers 19 heures.

À l'aube du 21 octobre 1990, une réunion s'est tenue dans le bureau du défendeur Georges Feghali, à la division d'intervention, à laquelle ont assisté les autres défenseurs, Atef Al-Haber, Camille Karam, Elie Akiki, Jean Chahine, Naja Kaddoum, Elias Awad, également connu sous le nom Giuliano et Farid Saadeh.

Feghali a dit aux accusés qu'ils devaient maintenant exécuter la tâche pour laquelle ils avaient reçu un entraînement, assassiner Dany Chamoun, conformément au plan, et qu'ils devaient porter des uniformes de l'armée lors de l'opération. Il a ensuite distribué les uniformes militaires et les armes.

Ils ont quitté Karantina pour Baabda dans trois voitures dont celle de tête était conduite par Atef Al-Haber, qui portait les insignes de premier lieutenant et était muni d'un émetteur récepteur radio Motorola – la marque utilisée par les forces de l'ordre – pour accréditer le statut militaire officiel que lui et ses compagnons revendiquaient.

La radio faisait partie des équipements pillés par les Forces Libanaises quand ils avaient occupé le bâtiment de la Direction générale des Forces de Sécurité intérieure, le 4 février 1990, au début de leur guerre avec le général Aoun. Elle appartenait précédemment au lieutenant Assaad Nahra des forces de sécurité.

Lorsque le groupe est arrivé à l'emplacement spécifié, Atef al-Haber a stoppé sa voiture à vingt mètres des bâtiments du Centre Chahine et les autres voitures se sont garées derrière lui. Puis Atef Al-Haber est parti se garer à son tour devant le bâtiment où se trouvait Dany Chamoun et le groupe est sorti des voitures.

À l'entrée de l'immeuble, Atef Al-Haber a rencontré le concierge, le témoin, Nabih Aref Nakhleh. Il l'a saisi à la gorge et lui a ordonné de monter avec lui, après lui avoir demandé si Dany Chamoun était à la maison. Le concierge a répondu : « Je ne l'ai pas vu depuis trois jours. »

Atef Al-Haber est monté avec Naja Kaddoum et Élie Awad, qui étaient armés de fusils mitrailleurs Ingram et d'armes de poing munies de silencieux. Jean Samia et Georges Feghali assuraient la protection à l'entrée de l'immeuble, tandis que Camille Karam, Farid Saadeh et Elie Akiki demeuraient à proximité des voitures.

Lorsque Atef Al-Haber et ses compagnons sont arrivés chez Dany Chamoun, au cinquième étage de l'immeuble, ils ont dit au concierge Nabih Nakhleh de frapper à la porte. Ce qu'il a fait. La *domestique, Jeannette Dakkash, a demandé qui était là. Le concierge a répondu : « Ouvrez la porte, Jeannette, c'est Abou Georges. » Elle l'a ouverte. Il était environ 6 h 30.*

Lorsque Jeannette a ouvert la porte, près de laquelle l'avaient rejointe les deux garçons Tarek et Julien, Atef al-Haber et Élie Awad sont entrés. Naja Kaddoum est resté dehors, il a dit au concierge de redescendre. Le concierge est reparti dans sa loge à l'entrée de l'immeuble.

Atef Al-Haber a demandé à la femme de chambre, Jeannette, de voir Dany Chamoun, qui est arrivé dans la pièce et lui a demandé ce qu'il voulait. Il a répondu : « Je veux juste vous dire un mot. »

Il semble que, lorsque mon père alla s'installer avec lui dans le petit salon, il comprit dans un éclair ce qui était en train de se passer et se jeta sur l'homme. En luttant, ils tombèrent sur le canapé.

Dans le même temps, un autre assaillant Élie Awad, avait dit à Jeannette et à la bonne sri-lankaise d'aller dans la salle de bains. Il avait poussé les deux garçons dans une autre direction.

Mais la lutte entre Dany et Al-Haber, suivie de l'arrivée d'Ingrid et des enfants qui criaient, obligea à précipiter l'opération et le troisième agresseur, Naja Kaddoum, qui attendait devant la porte, entra pour aider ses deux compagnons. Tous les trois ouvrirent le feu sur Dany, sa femme, ainsi que sur les deux garçons, Tarek et Julien.

Dany fut abattu de quatorze balles de 9 mm ; Ingrid de 10 balles de 7 mm ; Tarek de trois balles et Julien de quatre balles de 9 mm.

Atef Al-Habre fut reconnu plus tard par Gibran Tueni comme l'homme qui s'était présenté à sa maison de Beit Meri, dans un uniforme de lieutenant de l'armée libanaise. Il disait vouloir s'assurer de sa sécurité mais Tueni, intrigué par cette visite, prit contact avec un agent de la sécurité attaché à la première brigade en charge du secteur du Metn. Il lui répondit qu'aucun officier n'avait été envoyé à son domicile. Trente-six heures après la visite d'Atef Al-Haber à Gibran, mon père était assassiné.

Tueni et ses gardes du corps n'eurent aucun mal à reconnaître l'étrange visiteur parmi les photos qu'on leur présenta. Il s'agissait bien d'Atef Al-Haber.

Leur témoignage fut renforcé par celui de Fadi Saab qui confirma la présence de Gibran Tueni sur la liste noire des Forces Libanaises. L'hostilité qu'il leur manifestait avait fait de lui une cible prochaine pour le Département de la Sécurité. Il fut établi qu'Atef Al-Haber et ses compagnons ne purent mener à bien leur attaque en raison de la présence de ses gardes.

Le talkie-walkie Motorola constitua aussi une preuve importante et concrète, versée au dossier. Il était tombé pendant la lutte de Dany et d'Atef Al-Haber, qui l'oublia sur le canapé du petit salon en partant.

Le père d'Ingrid, Ilya Abdelnour, fut la première personne à pénétrer dans l'appartement après l'assassinat, avec le représentant de la Croix-Rouge, Joseph Khoury. Ce sont eux qui trouvèrent le Motorola. Ilya le montra aussitôt au lieutenant Hossein Aasy, l'officier de l'armée qui enquêtait sur la scène du crime. Celui-ci le remit ensuite au capitaine de gendarmerie Abdou Njeim, commandant adjoint du commissariat de Baabda, en échange d'un reçu signé par le commandant, le Major Robert Jabbour.

Contrairement aux allégations de la défense, le Motorola n'a pas été disposé là pour incriminer les Forces Libanaises. Il n'y a jamais eu aucun doute sur sa provenance. Il figurait de façon très visible sur le canapé à côté de mon père dans toutes les photos du crime, y compris celle parue dans le magazine français *Paris Match*. Elle montrait mon père le front troué par les balles. La radio Motorola saisie sur les lieux du crime fut formellement reconnue par le premier lieutenant Nahra Asaad des Forces de Sécurité intérieure à qui elle avait été volée lors de l'attaque des Forces Libanaises. Il l'identifia grâce à son numéro, au léger fléchissement de la touche vocale ainsi qu'à une rayure sur le coin supérieur.

Dans les pièces du procès, figure un témoignage préalable du lieutenant Nahra, daté du 7 novembre 1990. Il y raconte qu'après l'irruption des Forces Libanaises en armes au siège de la direction des Forces de Sécurité intérieure, le 4 février 1990, il avait mis précipitamment la radio et son arme de poing officielle dans un placard fermé à clé, dans la pièce réservée aux pièces à conviction des affaires criminelles.

Les Forces Libanaises avaient, en effet, dès leur intrusion, installé un barrage à l'entrée principale du bâtiment de la Direction générale et il craignait qu'on ne lui saisisse sa radio et son pistolet, quand il le franchirait. Quand il revint au siège, le 7 mars 1990, il alla droit au bureau des preuves pénales et constata que l'armoire avait été brisée et tout son contenu volé.

Un capitaine, Abd al-Saater, donna un témoignage semblable, ajoutant qu'il avait fait, à l'époque, un rapport sur l'incident et l'avait fait parvenir, par voie hiérarchique, au directeur général.

Un autre témoin, Issa Sarkis Chahine, appartenant au Département de la sécurité des Forces Libanaises, témoigna devant le juge d'instruction qu'après leur irruption à la direction des Forces de Sécurité intérieure, le Dr Jbeili, assistant direct de Ghassan Touma, lui avait demandé ainsi qu'aux autres de collecter tout le matériel qui pourrait leur être utile.

Partant de ces témoignages et de bien d'autres, il ne fait donc aucun doute que c'est bien le Département de la sécurité des Forces Libanaises qui pénétra au siège de la Direction des Forces de Sécurité intérieure et vola le Motorola ainsi que du matériel divers. Si les Forces Libanaises furent, par la suite, contraintes de restituer à l'armée le matériel volé, la défense ne réussit pas à établir que l'ensemble avait bien été rendu. Dans sa déposition, un adjudant-chef de l'armée, Michel Njeim, révèle, au contraire, que le matériel de communication ne fut jamais récupéré.

Le Motorola en question, dûment identifié par son propriétaire, était donc encore en possession des Forces Libanaises au moment de l'assassinat. Atef Al-Haber l'avait avec lui quand ils pénétrèrent dans l'appartement, le matin du meurtre. Ce fait constitua l'une des preuves les moins réfutables de la culpabilité des Forces Libanaises dans ce crime. La défense fut incapable d'apporter la preuve du contraire tout au long d'un procès qui dura tout de même plus de deux ans.

Geagea tenta de faire valoir qu'un meurtrier ne laisse pas de preuves sur les lieux de son crime. Cette évidence ne tenait pas compte du fait que la radio avait été perdue par accident lors de la violente bagarre, puis oubliée par incompétence. L'un des tueurs, Camille Karam, confirma dans son témoignage qu'Atef Al-Haber portait bien le Motorola sur le lieu du crime.

Le témoignage de Fouad Malek, chef d'état-major des Forces Libanaises, apporte, de son côté, un éclairage important sur cette question. Il fait état de la visite de condoléances qu'il rendit à mon oncle Dory après le drame. Ce dernier l'informa de la découverte de la radio volée et lui demanda de l'aider à trouver qui avait vraiment dérobé l'appareil et l'avait laissé délibérément sur les lieux, afin de faire porter l'accusation sur les Forces Libanaises. Dory ne comprenait pas pour-

162

quoi on cherchait à créer un différend entre elles et lui.

Lorsque Malek posa ensuite la question à Samir Geagea, ce dernier l'envoya promener d'une phrase, qui figure dans le dossier : *Dis à Dory que l'armée a perdu beaucoup de matériel sur les fronts. Quelqu'un qui souhaiterait commettre un assassinat laisserait-il des preuves l'incriminant sur les lieux du crime ?* Le fait est que Samir Geagea n'entreprit aucune enquête sur la question, alors qu'il allait de son propre intérêt et de celui des Forces Libanaises de le faire pour les disculper. La plus grande ironie de l'affaire est que dans ce pays habité par la théorie du complot, une fois la vérité révélée au grand jour, personne, y compris mon oncle Dory, n'accepta d'y croire, tant elle leur semblait dérangeante. La haine des Syriens, comme souvent, rendait aveugle à tout le reste, alors même que tous les actes antérieurs de Geagea témoignaient de sa violence. Je suis confrontée quotidiennement à ce déni, sauf naturellement de la part de ceux qui ont pris le temps d'enquêter ou qui ont eu à souffrir personnellement de Geagea.

Le bilan des atrocités commises par les Forces Libanaises sous sa direction est pourtant légendaire : assassinats, destruction de villages dans les montagnes du Chouf, exode forcé de leurs populations, trafic d'armes, sans compter l'enfouissement de déchets nucléaires dans la nature, pratique qui leur rapporta des millions de dollars en cash entre 1986 et 1987.

Jelly Wax, une société italienne, paya les Forces Libanaises pour stocker des déchets toxiques au Liban. Quelque seize mille barils y furent entreposés, certains dans les chantiers navals du port de Beyrouth qui abritèrent, à eux seuls, vingt conteneurs remplis de métaux lourds, pesticides toxiques et autres produits chimiques mortels. Ces barils s'étant mis à grésiller bizarrement, certains à exploser, les Forces Libanaises firent appel à Pierre Malychef, l'un des scientifiques, spécialistes de l'environnement les plus respectés au Liban, afin qu'il les examine. Celui-ci alerta aussitôt le public du danger. Il découvrit par ailleurs d'autres sites de déversement, disséminés dans le pays. Pierre est un de mes très bons amis. Il m'a raconté cette histoire un soir où nous dînions ensemble. Je l'écoutais en état de choc. Son exposition aux matériaux toxiques avait provoqué un cancer de la peau dont il me montra les traces. Il avait aussi été passé à tabac par les Forces Libanaises pour avoir rendu l'affaire publique, emprisonné pen-

dant une semaine, puis accusé de faux témoignage.

Avec le procès de Samir Geagea s'ouvrit aussi
pour moi une période assez surréaliste. Je me
retrouvais constamment entourée d'officiers de
renseignement ainsi que d'une flopée de seigneurs de guerre qui avaient trouvé une légitimité dans le nouveau gouvernement. Je devais
prendre énormément sur moi pour me soumet-
tre, au jour le jour, à ces sombres rencontres.
Mais il me fallait aller chercher des informations
sur l'assassinat de mon père à toutes les sources
possibles.

Je rendis visite au patriarche Sfeir, chef religieux de toute la communauté chrétienne maronite au Liban et cardinal de l'Église catholique.
C'était l'un des plus chauds partisans de Geagea
et un des plus influents. L'image du patriarche
était, du reste, entachée par une rumeur. On
racontait que Samir Geagea remplissait mensuel-
lement ses coffres de généreuses donations.

J'effectuai cette visite de courtoisie au cardinal
Sfeir, au début du procès. Il en profita pour
essayer de me dissuader de poursuivre l'affaire
qui condamnait Geagea, au motif qu'il n'était

pas bon qu'un chrétien poursuive un autre chrétien. « Même si ce chrétien a tué un chrétien ? » lui répondis-je. La visite ne se passa pas très bien.

J'ai fini par comprendre que le Liban souffrait d'une forme d'engourdissement face à l'horreur et avait développé une aptitude à ignorer l'injustice par pur opportunisme politique. C'est un des pires travers de la nation parce qu'il rend la violence acceptable. Notre histoire est souillée d'assassinats politiques. Depuis les années 1970, d'après mes calculs, dix-sept personnalités politiques ont été assassinées.

Bien qu'elle nous fasse souffrir, nous semblons accepter cette brutalité sans révolte, comme s'il s'agissait d'une réalité ordinaire. Le sentiment de résignation qu'éprouvent les gens face à ce type de meurtres est aggravé par le fait que le mal accompli n'a pas de responsable. La plupart des meurtres politiques n'ont jamais été élucidés, la peur finissant toujours par l'emporter sur la recherche de la vérité. Le pays est encore grevé par la perte de tous ceux qui incarnaient un espoir de changement ou de transformation. Si quelqu'un montre de la personnalité et de l'originalité, il est aussitôt perçu comme une menace et condamné à mourir. Mon père, Dany, à bien des égards, représentait la possibilité d'un réel changement, d'une paix réelle, d'une coexistence réelle et d'une nation unie dans la fraternité. C'est pourquoi il ne fut pas autorisé à vivre. Des hommes comme mon père sont rares et l'histoire a prouvé à maintes reprises qu'au Liban du moins, ceux qui sont capables de remettre en cause le statu quo sont inévitablement et violemment assassinés.

Le Liban n'a pas le monopole de ce type de violence aveugle. Les grands bâtisseurs de paix que furent Gandhi et Martin Luther King ont été assassinés. Anouar El-Sadate en Égypte, et Yitzhak Rabin en Israël, ont été abattus, chacun, par des extrémistes religieux opposés à leurs initiatives de paix et à la signature des Accords d'Oslo. Il semble que beaucoup de ceux qui se dressent contre les intérêts dominants soient éliminés. C'est le triste sort de notre humanité : nous ne reconnaissons les enseignements de nos dirigeants éclairés qu'après les avoir tués.

Les Libanais ont développé un seuil de tolérance à la douleur et une capacité à l'assimiler qui représentent un véritable handicap national. Non seulement il rend toute catharsis impossible mais il nous empêche également de comprendre le danger que nous courons à laisser ainsi au meurtre le soin de résoudre les problèmes politiques. C'est une méthode très efficace pour éliminer les obstacles et les rivaux mais c'est aussi une manière de condamner le Liban à l'âge des ténèbres.

Si nous voulons avancer, il nous faut nous engager à cesser de couvrir les auteurs de ces crimes violents. Nous ne pouvons pas nous contenter de hausser les épaules et de tout mettre sur le dos de la fatalité. Chaque vie perdue par un acte de violence témoigne d'un système politique dépourvu du sens de la responsabilité et de la justice. Si nous voulons construire une nation moderne, il nous faut faire de la valeur de la vie une priorité et de la recherche de la sécurité, une nécessité.

Acculée à regarder Samir Geagea pendant des heures, dans le box des accusés, je songeais combien il est difficile de lire, sur un visage, les atrocités dont un être humain est capable. On peut regarder quelqu'un mais que voit-on ? Rien, surtout si on ne comprend pas ce qui le meut profondément et qu'on ne porte pas en soi les mêmes ténèbres.

Je n'arrivais pas à comprendre le mal qui me faisait face. Ce fut du moins une leçon : il existait bien, dans le monde, de telles personnes, mues par une violence extrême. Je ne sais pas ce que Geagea est devenu aujourd'hui ni si son temps de prison l'a transformé ou lui a permis de réfléchir à sa relation au pouvoir. À cette époque-là, il était juste un produit, une incarnation des effets déshumanisants de la terrible guerre qui déchirait le pays. Elle avait corrompu le cœur de chaque leader en lui faisant croire à son omnipotence. Dans le cas de Geagea, cette corruption s'exprimait par le crime.

Parfois, tu cherches un sens
Pour t'en sortir en rêvant
Piégé dans la réalité dense
Faite de faux-semblants
Parfois, tu dois feindre
Pour ne pas t'éteindre
Parfois, il n'existe d'autre moyen
Pour traverser le quotidien

Extrait
« Ma douleur est réelle »

7.

Durant les deux années que dura le procès, de 1993 à 1995, on peut dire que je vécus comme une vraie paria. Je n'étais même pas en sécurité dans ma propre communauté ; pour tout dire, là encore moins qu'ailleurs. J'étais entourée de gardes vingt-quatre heures sur vingt-quatre. Tout ce que j'avais dû traverser auparavant n'était rien en comparaison, car ici, je menais un combat solitaire, sans le soutien de ma famille. Mon père était mort et mon oncle Dory refusait de me parler ou de soutenir mes efforts pour que s'ouvre le procès de l'assassin de son frère.

Avant que celui-ci ne commence, je demandai au responsable de l'enquête, un fervent Chamouniste du district du Chouf, d'aller voir Dory. Cet homme, qui n'était pas un laquais syrien, tenta pendant une heure de présenter les charges réunies contre Geagea à mon oncle qui ne voulut rien entendre et finit par éconduire dédaigneusement son visiteur. Dory tenait ferme à sa théorie d'un complot syrien.

L'enquêteur le quitta perplexe et déçu. Sa famille avait compté parmi les partisans les plus loyaux de mon grand-père pendant toute sa carrière politique et il n'arrivait pas à comprendre que Dory refuse l'évidence des preuves.

Mon propre isolement était aggravé par le fait que l'entourage de Dory, la direction politique du parti, me témoignait une antipathie certaine, pour ne pas dire un certain mépris. Ils se liguaient contre moi dans la presse et s'acharnaient à invalider tout ce que je faisais. Il y eut bien quelques tentatives de rapprochement mais Dory était toujours sur la défensive et ses gens continuaient à voir en moi une menace pour sa légitimité qu'il fallait écarter. Fatiguée de ce conflit permanent avec mon oncle, je demandai un jour à le voir. Je lui fis part de mon souhait de devenir membre du parti et de voir réintégrés

172

dans ses rangs les jeunes gens qui avaient pris fait et cause pour mon père. Mais il refusa catégoriquement de me laisser rejoindre le parti qu'avait pourtant créé mon grand-père et présidé mon père et dont il dénia, dans la presse, qu'il ait un quelconque rapport avec moi.

Habitant l'immeuble dans lequel mon oncle avait son bureau, je passais quotidiennement devant ses gardes qui me toisaient et cherchaient la bagarre avec les miens. C'était très désagréable pour moi et pour mes visiteurs qui étaient soumis à un examen qui les mettait mal à l'aise. Mais c'était fait pour. L'atmosphère était à l'intimidation et à la méfiance, surtout pour tout ce qui avait trait au procès de Geagea, mon oncle ayant choisi de rester neutre par pur opportunisme politique. Il redoutait de s'aliéner une grande partie de l'électorat chrétien, s'il prenait position contre Geagea.

Par ailleurs, je vivais entourée d'hommes, mes activités me plongeant dans un monde où, par tradition, seuls les hommes étaient admis. Ce n'était pas facile et je me retrouvais dans des situations délicates. Aux enterrements, je ne savais dans quelle pièce aller m'asseoir. On me considérait comme un personnage politique. Devais-je aller avec les hommes ou les femmes ?

Dans les réceptions, même dilemme. Devais-je
aller au salon avec les femmes ou rester dans le
living-room avec les hommes pour parler politique ? Bien que mon mari vînt me voir autant
qu'il le pouvait, j'étais considérée comme une
femme mariée vivant seule, dans une société qui
restait très traditionnelle. On m'invitait fort peu
et, si j'avais le malheur de venir avec un ami, les
rumeurs commençaient à courir.

La plupart du temps, je restais donc seule à la
maison en compagnie de mes gardes du corps et
de mes assistants. Nous étions plongés dans le
maelström des courants politiques et il nous fallait garder un œil attentif sur le procès. Je menais
une existence à la fois terne et terriblement stres-
sante, soutenue par une poignée d'amis stoïques,
qui levaient les yeux au ciel avec désespoir chaque fois que j'envoyais un communiqué à la
presse.

Pour avoir une vie un peu plus normale et
parce que j'avais besoin de compagnie, je me
tournai vers mon premier amour, les animaux.
C'est à ce moment-là que j'ai adopté mon chat
Tiger, un beau siamois. Je l'ai trouvé sur la route
de Zahlé, en rentrant d'un rassemblement politique. J'ai toujours volé au secours des animaux
et, durant ces moments difficiles au Liban, cela

174

m'aida à me sentir mieux comme si, d'une certaine façon, je sauvais une partie de moi-même.
Au Liban, les gens sont cruels avec les animaux.
Je déteste ça. Pour moi, c'est synonyme d'une
incapacité à comprendre la valeur de la vie.

Un jour, alors que j'étais en réunion avec un
colonel au ministère de la Défense, pour discuter
de questions de sécurité, nous fûmes inter-
rompus par un soldat. Ses camarades et lui
avaient capturé un aigle. Ils avaient mis provisoirement le rapace dans une des douches de la
caserne et voulaient savoir ce qu'ils étaient censés
en faire car tout le monde avait peur de le toucher.

Ils envisagèrent de le tuer puis de l'envoyer à
un taxidermiste pour le faire empailler. J'en fus
choquée. Je demandai au soldat de me montrer
l'oiseau. Attaché à la barre de la douche par une
corde de nylon bleu, l'aigle splendide était blotti
dans un coin. Il était entouré de morceaux de
sardines en conserve jetés là dans l'espoir qu'il
les mangerait. L'air empestait le poisson pourri.

L'oiseau était manifestement terrifié. Je demandai à quelqu'un de me prêter sa veste en cuir,
l'enfilai et m'avançai vers la cabine de douche. Je
ne me souviens pas exactement de la suite, je sais
juste que je me mis à parler doucement à l'aigle

en lui expliquant que j'étais le meilleur pari qu'il puisse faire s'il voulait sortir de là vivant. Comme par magie, il bondit sur mon épaule. Son bec frôlait ma joue. Je défis précautionneusement le nœud qui le reliait à la douche. Il restait perché sur moi et me permit de le faire tout en me surveillant très attentivement du coin de son œil d'aigle.

Ensuite, je sortis de la douche. Dans la pièce à côté, un groupe de soldats s'était rassemblé. Je leur fis signe de ne pas faire de bruit. Tout en traversant la pièce, je chuchotai des paroles apaisantes à l'aigle. Une fois dehors, il me laissa dénouer le cordon qui restait attaché à ses serres. L'ayant libéré de ses entraves, je tendis mon bras et il s'élança dans le ciel. Il fit deux tours au-dessus de la foule qui s'était attroupée autour de moi. Ce fut beau de le voir s'élever dans le ciel bleu, de plus en plus haut jusqu'à ce qu'il devienne un point au loin, puis disparaisse.

Je dois admettre qu'en dehors de la naissance de mon fils, ce fut l'un des plus beaux moments de ma vie. Je ressentis la force énorme de cet oiseau quand il prit son envol et mon esprit, pendant un bref instant, s'échappa aussi de sa propre prison. À mon grand amusement, les soldats changèrent d'attitude à mon égard. Je suppose qu'ils me voyaient désormais comme une espèce de sorcière. Ils me regardaient avec respect, c'était touchant.

Malgré tout, ce ne fut pas l'aigle qui eut le plus gros impact sur ma vie d'alors. Celui qui allait m'apporter un immense secours et m'aider à traverser la dureté et la monotonie de mon existence quotidienne fut un renard.

J'étais en voiture avec Fouad, mon garde du corps, quand mon regard fut attiré par des cages sur le côté de la route. Elles cuisaient sous le soleil torride et, dans l'une d'elles, je vis un renard doré. Stupéfaite, je demandai à Fouad de s'arrêter. Décidée à rendre sa liberté à l'animal, je négociai avec le vendeur qui me fit payer la somme exorbitante de 200 $.

J'emportai le renard, qui était en fait une renarde (je l'appelai Michael, comme dans Michael J. Fox, mais je dus, par la suite, changer son nom en Michelle) et l'emmenai chez un vétérinaire qui lui administra tous ses vaccins. Il me dit qu'elle avait une blessure à la patte, sans doute due au piège qui avait permis de la capturer, et que je ne devais pas la relâcher dans la nature, ce qui était mon idée initiale.

Au grand dam de mon entourage, convaincu que j'étais folle, je fis donc construire une cage pour ma renarde et l'installai sur le balcon. Je me souviens du jour où, la regardant dans sa cage, jc pris soudain conscience du fait qu'elle était totalement désespérée. Il n'y avait plus de lumière dans ses yeux. Elle était encore très jeune et pourtant je pouvais sentir sa résignation et son désir de mourir. C'est alors que me vint une idée. J'allai vers elle, toute sauvage et ombrageuse qu'elle était, et en lui parlant tout doucement pour ne pas l'effaroucher, l'assurai que tout irait bien.

Étonnamment, cet animal sauvage m'autorisa à l'attraper. Je portai la renarde terrorisée dans le grand bac qui attendait des fleurs au fond du balcon. À la seconde où ses pattes entrèrent en contact avec la terre, elle leva vers moi ses yeux en amande, couleur d'ambre et elle... sourit. Elle se mit alors à creuser avec les pattes et je sus qu'elle irait bien. À dater de ce jour, Michelle devint ma meilleure amie. Elle roulait sur le dos chaque fois qu'elle me voyait et se laissait gratter le ventre, en émettant des glapissements, la bouche grande ouverte.

Je réussis à la dresser à faire ses besoins dans une litière. Elle était extrêmement futée. On ne pouvait pas l'attraper deux fois de la même manière et quand elle entrait dans la maison, ce qui était son activité préférée, il fallait une armée de gens pour la coincer et la remettre sur le balcon.

L'énergie du renard, selon la mythologie amérindienne, représente la ruse et la capacité à se montrer plus malin que ses ennemis. Curieusement, c'était le surnom de mon grand-père Camille en politique. Il était connu comme *Al thaalab* ou « le Renard » et je pense que Michelle vint à moi en ce moment-là pour m'aider à naviguer dans le champ de mines que j'étais obligée de traverser tous les jours. Elle me donna aussi tant de joie que j'en oubliai parfois ma solitude.

Il m'était très difficile à l'époque de communiquer par téléphone avec mon mari. Nous avions dû souscrire à un service international au coût prohibitif. Les portables dont nous disposions étaient réservés aux appels locaux. Mais ils restaient le moyen le plus sûr de communiquer, la technologie des écoutes téléphoniques n'étant pas encore disponible pour les téléphones cellulaires. Pour quiconque était, d'une façon ou d'une autre, impliqué en politique, les lignes fixes étaient traîtresses, entièrement sous contrôle des services de renseignement syrien et libanais.

Au quotidien, le manque de communication avec mon mari, les distances à la fois physique et culturelle qui nous séparaient, finissaient par peser sérieusement sur notre mariage. Je luttais pour savoir si je devais rester au Liban et assumer l'héritage politique de mon père ou retourner aux États-Unis et laisser tout cela derrière moi.

Je pense que nos vies, au bout du compte, sont la somme de nos choix. J'eus vraiment à choisir, à ce moment-là, ce que je voulais faire de la mienne. Une voix intérieure me disait que, malgré tout ce qui me retenait au Liban, je devais partir. J'avais du mal à l'accepter car je désirais vraiment rester. C'était au Liban que ma présence me semblait la plus nécessaire. Cependant, je ne pouvais pas faire taire mon cœur qui savait lui, que si je restais, c'était la fin de mon mariage.

Je commençai, alors, à entrevoir que tout ce que je croyais vouloir était en fait le produit d'un conditionnement dû à ma naissance dans le « clan Chamoun ». Enfant, j'avais choisi mon grand-père, Camille, pour modèle. C'était facile parce que nous avions les mêmes appétits intellectuels. Ma grand-mère Zelpha m'avait influencée aussi, mais d'une autre manière, plus subtile, plus paisible et ce n'était qu'avec l'âge que j'en étais venue à comprendre et apprécier ses qualités, sa bonté et sa générosité d'esprit.

Mon ambition, mes objectifs, tout dans ma vie était modelé par l'influence de ma famille. Je suis surprise moi-même d'avoir réussi à briser ce moule et à recréer ma vie, telle qu'elle est aujourd'hui. Je ne me serais jamais cru capable d'accomplir ce passage d'une vie fondée sur la réussite sociale et la notoriété à une autre vie, axée sur l'invisibilité et le détachement. Je dois ce changement, pour une très large part, à mon implication profonde, depuis de nombreuses années, dans la pratique ancestrale du yoga et de la méditation.

Nous naissons tous avec des leçons différentes à apprendre, au cours de nos vies brèves. Les miennes ne concernaient pas l'argent ou la célébrité mais le pouvoir. Pour être plus précise, j'avais à comprendre sa vraie nature.

Au Liban, le pouvoir se résume à une lutte pour la notoriété, le plus souvent conquise par la force. Mais il s'agit tout simplement d'une inflation de l'ego et d'une recherche perverse d'un maximum de visibilité pour obtenir des privilèges. Dans ce pays, comme ailleurs, le privilège est l'enfant du pouvoir. Il est le paramètre déterminant de la réussite et la vraie cible de ceux qui cherchent à le prendre.

Le Liban est un rude pays du tiers monde où les droits individuels ne sont pas défendus par un système social et juridique fondé sur la justice ou l'égalité. Tout le monde y est à la merci d'une organisation hiérarchique féodale qui repose sur le patriarcat. Par conséquent, on y recherche le pouvoir pour survivre et échapper à la peur d'être impuissant.

Cette chasse permanente aux privilèges, à la reconnaissance, à la suprématie, sert de moteur à la nation tout entière. Chacun est en permanence sur le pied de guerre, prêt à se battre contre l'autre pour s'octroyer le pouvoir, les avantages, la richesse, le prestige et le sentiment de puissance qui en découlent. La conquête du pouvoir est la principale motivation du combat politique. Il y a très peu d'idéalistes et d'altruistes impliqués dans la politique libanaise parce qu'elle est de nature destructrice, fondée sur la compétition, la préservation et l'inflation des ego.

Durant ces années de retour au Liban, j'avais encore beaucoup de peine à comprendre tout cela. Comme la plupart des gens, j'étais prisonnière d'une vision très limitée du pouvoir. Je le voyais comme un attribut extérieur à celui qui le possède, quelque chose qui relevait plutôt des apparences.

Maintenant, avec le recul et plus de perspicacité, je pense que le vrai pouvoir est une force intérieure et authentique. Ce pouvoir-là existe en proportion inverse de l'autre. En d'autres termes, plus nous cherchons à dominer plus nous sommes définis par la faiblesse. Plus nous évitons les signes extérieurs de pouvoir et leur piège, plus nous tenons debout sans lui et plus nous en avons.

La quête du pouvoir implique que l'on s'agrippe. Si on lâche, on devient libre de donner sans attendre de retour. En cessant d'être intéressés, nos actes deviennent plus authentiques. Nos motivations ne doivent pas être égoïstes. Elles doivent provenir du cœur et viser à engendrer le plus grand bien et non la gloire personnelle. La quête du pouvoir pour le pouvoir n'avait aucun sens à mes yeux et les bénéfices qu'elle procurait ne me tentaient pas. Mais il en allait tout autrement dans le pays et particulièrement chez les politiciens. Tout le monde tentait d'imposer son point de vue aux autres et de le défendre de toutes les manières possibles.

Plus je baignais dans cet environnement impitoyable, plus je prenais de distance avec lui. Je commençais à réaliser que la quête effrénée du pouvoir n'est qu'une forme d'asservissement à un combat perdu d'avance. Le pouvoir n'est jamais qu'une illusion de l'ego qui empoisonne la vie car il maintient dans un état d'insatisfaction chronique.

Mais cette prise de conscience avait un prix. Si je voulais me débarrasser de l'attachement au pouvoir, je devais me retirer de l'arène politique, renoncer à l'appel de tous ceux qui, autour de moi, voulaient me voir livrer les mêmes batailles que mon père. Ma décision causa une déception énorme à beaucoup de ceux qui s'efforçaient – encore aujourd'hui – de conserver sa mémoire vivante. Mais je ne pouvais tout simplement pas vivre un mensonge de plus. Je ne pouvais plus continuer à être ce que mon hérédité voulait que je sois, alors que j'avais encore tant de choses à apprendre sur moi-même.

Il me fallut, dans la foulée, changer quelques mauvaises habitudes, me montrer moins extravagante et accepter, en perdant du pouvoir, de perdre aussi des privilèges. J'avais accueilli avec naturel tous ces avantages secondaires qui allaient avec mon héritage : être accueillie à l'aéroport par un convoi spécial, disposer de gardes du corps, être reconnue instantanément, sentir le poids de mon nom, avoir accès aux plus hautes sphères de gouvernement. Mais je sentais au fond de moi qu'il était temps que je me défasse de tout ça.

Pendant de nombreuses années, j'ai dû réajuster sans cesse ce qui était devenu une seconde nature mais c'était exactement ce que je voulais. Je devins très vigilante sur mes motivations et mes réactions. Je m'efforçai d'être plus fidèle à mes propres instincts et à mes inclinations. Ce fut un processus graduel vers une profonde acceptation de moi-même. Dès que j'entamai cette transformation personnelle, il devint évident que je n'étais pas prête à assumer les responsabilités politiques de mon héritage. J'avais bien d'autres choses à apprendre et à faire.

L'une des premières fut de me recentrer sur mon mariage. La deuxième, de résister à la tentation de me présenter aux élections parlementaires, en dépit d'une énorme pression pour que je le fasse. J'étais confrontée, dans ma propre famille, à la rivalité croissante des hommes de mon père et des partisans de mon oncle. Si j'avais accepté de me présenter à la députation dans le district de mon grand-père au Chouf, j'aurais pris le risque d'une scission dans la famille. Mon oncle avait été élu au même moment maire de Deir El Kamar, dans ce même district.

Je tombai enceinte durant le procès. Par conséquent, la troisième décision, que je pris avec mon mari, fut de retourner en Amérique pour donner naissance à notre enfant là-bas. Je savais que c'était ce qui allait m'éloigner le plus du Liban mais j'étais aussi convaincue que c'était la seule façon d'éviter que ma famille ne se divise, tant l'attitude de mon oncle était devenue agressive et insupportable.

Il était donc temps pour moi de quitter la scène politique. Cela me remplissait de tristesse et de culpabilité de laisser tomber les autres. Mais je réalisai que c'était encore mon ego qui me jouait un de ses mauvais tours en me faisant croire que je devais être leur ange gardien. Il me suggérait aussi que je m'éloignais de mon destin mais j'ai fini par comprendre que le destin n'est pas seulement une question de volonté mais aussi de circonstances, et elles ne m'étaient pas favorables à ce moment-là.

Ma décision de partir fut très difficile à admettre par tous ceux qui, autour de moi, avaient misé sur ma réussite pour assurer leur propre succès. Ils réalisaient qu'ils étaient arrivés au bout d'un chemin. Ils allaient devoir définir leurs propres besoins et oublier les rêves que nous avions partagés et qui constituaient l'objectif de nos vies.

Je quittai Beyrouth juste avant le verdict du procès. Mon médecin m'avait donné un délai limite pour prendre l'avion, si je voulais que mon fils naisse aux États-Unis. Il était également dangereux pour moi de rester au Liban car beaucoup de partisans de Geagea risquaient de devenir enragés si leur chef était reconnu coupable. Je retournai à Washington avec, une fois encore, un vague sentiment d'insatisfaction car je savais qu'à un certain niveau, je n'en avais pas terminé avec le Liban.

La seule chose positive, en dehors du fait que je portais mon enfant, était que mon état de femme enceinte m'autorisait des excentricités. La plupart des femmes dans ce cas veulent des fraises. Je voulais emmener mon chat et mon renard avec moi aux États-Unis. Mon mari, ne pouvant évidemment rien me refuser, retourna amoureusement au Liban les chercher pendant que je l'attendais à Paris. L'affaire n'alla pas sans complications mais il réussit à obtenir les documents nécessaires et nous prîmes tous deux

187

l'avion pour les États-Unis avec un chat et un renard sauvage. La réaction des officiers des douanes fut surprenante. Ils furent tellement estomaqués à la vue du renard qu'ils nous laissèrent passer, en poussant même de grandes exclamations joyeuses.

Entre le stress du procès et ma grossesse, je rentrai épuisée, vidée physiquement et émotionnellement. Et il me fallut gérer un choc culturel énorme, tenter de réconcilier en moi deux ans de luttes et d'une vie surréaliste au Liban avec la réalité de l'Amérique suburbaine et de la maternité. En gros, il me fallut recommencer à zéro.

Quant à Michelle, la renarde, elle vécut avec nous, dans la banlieue de Washington DC, où mon mari lui construisit un luxueux logis dans le garage. Nous la laissions dans la cour attachée par un long filin quand elle n'était pas dans son enclos. Puis un jour, à l'automne, elle rompit ses liens et s'enfuit. L'appel de la nature était trop fort. J'en fus très triste mais finis par me raviser. Après tout, il était consolant d'imaginer qu'elle aussi allait trouver un domicile dans les belles forêts protégées du Maryland.

Je ne la revis pas avant le printemps suivant. Mon voisin m'appela pour me dire qu'il y avait un renard dans mon jardin. J'attrapai un morceau de viande dans le frigo et courut à l'extérieur, emplie de joie. Dans le jardin, je vis notre renarde, Michelle, mais j'avais du mal à la reconnaître car elle était redevenue sauvage. Je lui jetai la viande. Elle s'en saisit et partit en courant dans la direction opposée, sous le porche. Je la suivis, intriguée par ce comportement et l'aperçus soudain. Elle partageait la nourriture avec ses deux petits ! Non seulement Michelle était revenue à la maison mais elle m'avait apporté ses bébés. C'était un cadeau merveilleux. Je restais parfois assise dehors, dans la cour, avec elle, à la regarder allaiter ses petits. Mon fils nouveau-né, que j'avais appelé Lex, « la loi », en souvenir de sa conception lors du procès, était dans mes bras. Michelle et moi partagions ensemble les joies de la maternité.

Puis un jour, quand les renardeaux eurent suffisamment grandi, ils partirent tous. Mais comme tous nos voisins les connaissaient, ils continuèrent de les nourrir quand ils venaient dans les parages. En fin de compte, Michelle et moi avions survécu à l'épreuve commune de ces années difficiles au Liban et nous avions toutes deux émigré avec succès aux États-Unis. Lorsque le procès prit fin au Liban, Geagea fut reconnu coupable à l'unanimité par les six juges et condamné à mort. Cette peine fut commuée en détention à perpétuité et en travaux forcés. Aucune des deux sentences ne fut exécutée. Il resta emprisonné au ministère de la Défense.

Son incarcération a fait l'objet de condamnations répétées d'Amnesty International, qui dénonçait les conditions de sa détention. Ce qu'ils ne réalisaient pas c'est que cette geôle était en fait le lieu le plus sûr pour lui. Il n'existait qu'une alternative, la prison de Roumieh, un enfer carcéral, où les conditions de vie étaient inhumaines et où il aurait certainement été tué.

Après le verdict, je reçus de nombreux coups de fil de félicitations mais ce n'était pas un moment de fête pour moi. Juste un moment de vérité et la clôture d'un chapitre de ma vie. J'étais arrivée au bout de ce que j'avais décidé de faire et, dans une certaine mesure, j'avais fait la paix avec le meurtre de mon père en accomplissant mon devoir de fille. En faisant la lumière sur ses assassins, j'avais rendu justice à ma famille pour ce meurtre brutal.

Contrairement à tant de crimes non résolus dans l'histoire du Liban, celui-ci le fut. Il se trouve que pour une fois les nécessités politiques étaient du même côté que la vérité. Je sais que mon implication personnelle a contribué à mener toute cette affaire jusqu'à son terme. Le meurtre de ma famille était résolu, son assassin en prison, leurs âmes pouvaient désormais reposer en paix.

Une fois tout cela derrière moi, il me fut beaucoup plus difficile que je ne l'imaginais de passer à la phase suivante. J'avais d'énormes ajustements à faire dans ma propre existence. Tout ce qui avait donné, jusque-là, un sens à ma vie avait disparu. J'avais à redécouvrir qui j'étais, loin de mon identité de fille de Dany et de petite-fille de Camille. Honnêtement, pour la première fois, je me rendis compte que je ne savais absolument pas comment m'y prendre.

Terre de désarroi
Terre de chagrins
Terre de joie
Terre de lendemains
Laquelle es-tu ?

Terre de cauchemars et de rêves
Terre de guerres et de trêves
Vers où allons-nous d'ailleurs ?
Dans la déception et la peur ?
Peut-on envisager
Une nouvelle réalité ?
Peut-on changer
Notre fausse mentalité ?
Peut-on se redéfinir
Les uns et les autres s'unir ?
Où notre nation bascule-t-elle ?
Qu'avons-nous fait d'elle ?
Comment faire notre devoir ?
Pour rendre notre avenir moins noir ?

Extrait
« Un Chemin sans but »

8.

Après l'incarcération de Geagea en 1995, je vécus entre Beyrouth et Washington. Je restais en contact avec des amis au Liban et je suivais ce qui se passait là-bas mais j'essayais de ne plus m'impliquer. J'allais au Liban en été et pas plus de deux fois par an. La messe de commémoration pour mon père, qui nous réunissait tous en octobre, était toujours un moment stressant, en raison de l'attitude de mon oncle à mon égard. Je ne me sentais jamais la bienvenue et la tension entre ses partisans et ceux de mon père montait d'un cran à cette occasion.

De mon côté, j'accusais le contrecoup de la maternité et de vingt ans de stress accumulé. J'étais physiquement épuisée. À cette époque, si je me sentais bien une journée par mois j'avais de la chance. Le reste du temps, j'arrivais à peine à me traîner.

Le Liban s'éloignait lentement même si je chancelais chaque fois que je recevais des nouvelles de la maison, surtout quand j'apprenais la mort de gens que j'avais connus. Les horreurs de la guerre faisaient encore des victimes. Parmi elles, il y eut Élie Hobeika et Mike Nassar, l'homme à qui j'avais vendu la demeure de mon grand-père à Deir El Kamar. Ils avaient tous les deux beaucoup d'ennemis.

Hobeika, qui avait été formé initialement par les Israéliens quand il était en poste dans le sud du Liban, avait changé de camp et était devenu pro-syrien. C'est Rafic Hariri qui avait été l'instigateur de ses liens avec le régime syrien, du fait de son amitié avec Abdel-Halim Khaddam, musulman sunnite, vice-président de la Syrie de 1984 à 2005.

L'alliance qu'avait contractée Hobeika avec les Syriens était née de sa conviction profonde que la seule façon pour les chrétiens de survivre au Liban était de s'allier à la communauté allawite et au régime en place en Syrie. À l'époque, son attitude pro-syrienne avait poussé Geagea à le renverser, en 1986, ce qui ne manque pas de sel si l'on considère que quatre ans plus tard, le 13 octobre 1990, le même Geagea facilitait l'entrée des Syriens dans le secteur chrétien et leur permettait d'occuper le Liban.

Hobeika fut tué par une voiture piégée garée devant son domicile le 24 janvier 2002, près de vingt ans après les massacres de Sabra et Chatila associés à son nom. Cet assassinat eut lieu juste avant qu'il ne puisse témoigner à La Haye sur l'implication d'Ariel Sharon dans le génocide des camps de Sabra et Chatila.

Quoique Hobeika eût essayé de s'adapter à la vie civile après la guerre et eût été nommé ministre dans le gouvernement, il ne parvint jamais à occulter son histoire sanglante ni son image d'agent syrien. À défaut, il cultiva un personnage de rebelle, fier de l'être, qui lui donnait des allures de gangster mafieux à l'ancienne. Il était toujours impeccablement habillé et entouré d'une foule de gardes du corps dévoués. Il s'offrait de coûteux jouets d'adulte, allant du yacht de plusieurs millions de dollars pour l'été, à la motoneige pour l'hiver. Sous cet étalage de richesses, il avait en lui une forme de résignation qui étouffait tout le

195

reste. Comme s'il savait que ses jours étaient comptés.

Lui aussi fut une victime de la guerre, au même titre que les autres, tous ces jeunes hommes dont elle a déformé l'esprit et qu'elle a jetés dans la violence et le chaos en réveillant leurs pires instincts. Ils étaient gagnés par un faux sentiment d'importance qui en a conduit beaucoup à la mort. C'est la roue du karma. Il n'y a pas moyen d'échapper à ses effets. On récolte ce qu'on sème et, malheureusement, le pays n'a pas fini de rendre compte de tout le mal qui a été commis et semé à cette époque.

Michael Nassar, la deuxième victime, fut assassiné peu de temps après Hobeika. La fortune de Mike était estimée à cent millions de dollars et il était le troisième plus important investisseur dans la compagnie de M. Hariri, Solidere, chargée de la reconstruction du centre de Beyrouth. Ses propres actions atteignaient la valeur de vingt-cinq millions de dollars.

Mike Nassar décida de se présenter comme député dans le district de ma famille, dans le Chouf. Il voulut acheter la maison de mon grand-père à Deir El-Kamar pour mieux servir ses ambitions politiques. J'acceptai de la lui vendre parce qu'après toutes les dépenses engendrées par le procès, j'avais besoin d'argent. Cela provoqua une levée de boucliers dans la région en raison de son association antérieure avec les Forces Libanaises, bien qu'il fût alors sur leur liste noire. En 1991, Geagea avait emprisonné Nassar pendant plusieurs mois, l'accusant d'avoir détourné des fonds de la milice à l'occasion d'une vente d'armes. Les Forces Libanaises avaient, en l'occurrence, vendu des armes lourdes à la Croatie au cours de la guerre des Balkans.

On m'accusa de trahir la mémoire de mon grand-père en vendant sa maison. La plupart des gens ne savaient pas qu'il n'avait jamais vécu dans cette bâtisse de Deir El-Kamar. Elle était délabrée et abandonnée lorsque j'en ai hérité. Mon grand-père ne l'avait jamais aimée et était mécontent de sa construction.

Avec le recul, on peut dire que cette demeure eut une histoire bien triste. Mon grand-père Camille la laissa à mon père, qui fut brutalement abattu avec son épouse Ingrid et, peu de temps après l'avoir achetée, Mike fut assassiné lui aussi, au Brésil, avec sa femme Marie-Noëlle. Ils furent tués à bout portant dans une station-service. Dany et Mike laissaient deux petites filles qui survécurent au carnage.

Le quotidien libanais, *Daily Star*, évoqua aussitôt les Forces Libanaises, insinuant que Nassar aurait pu être assassiné par d'anciens membres du parti dissous, résidents au Brésil, qui étaient proches de Samir Geagea, toujours en prison à l'époque.

D'autres évoquèrent les Israéliens, étant donné que Mike était le troisième témoin cité dans les poursuites engagées contre le Premier ministre israélien, Ariel Sharon, pour crimes de guerre. Les trois témoins furent tués dans des circonstances inexpliquées en 2002. Jean Ghanem, un collègue d'Hobeika, mourut dans un accident. Sa voiture percuta un arbre le jour du Nouvel An. La justice belge reporta la décision d'inculper Sharon pour les crimes qu'on lui imputait. Les raisons de ce report sont inconnues. La disparition de tous les témoins de l'accusation en est probablement une.

En apprenant ces histoires, je ne pouvais m'empêcher de revivre l'horreur de la guerre et de penser au prix que nous avions tous payé pour ces années de folie. En 2001, six ans déjà s'étaient écoulés depuis le procès. Nous habitions toujours à Washington. Le 11 septembre, mon fils eut six ans. Nous nous apprêtions à les fêter quand eut lieu l'horrible attaque terroriste contre les États-Unis. Une fois encore, je sentis qu'il n'y avait pas de répit possible avec la guerre. Elle m'avait rattrapée en Amérique.

Lors de cette terrible journée, Washington fut paralysé et plongea dans la confusion la plus totale. Des amis m'appelaient de toute la ville, paniqués. Beaucoup furent contraints d'abandonner leur voiture là où elle était et de parcourir à pied des distances interminables pour rentrer chez eux.

Nous ne pouvions rien faire d'autre qu'attendre la suite. Instantanément, j'avais été projetée dans le passé des jours de guerre. Je connaissais si bien cette terreur. Le pays tout entier était en état de choc. Tout le monde pensait que ce n'était que le début d'une longue guerre qui verrait des attaques terroristes surgir de nulle part.

Le traumatisme que je vécus ce matin-là était, en tout point, semblable à celui que j'avais subi quotidiennement pendant des années. En voyant les gens sauter par les fenêtres du World Trade Center, j'avais l'impression de vivre une réplique de l'attaque de notre maison au bord de la mer à Safra. Je revoyais tomber, du haut des balcons de l'hôtel, les gens que l'on jetait dans le vide et que l'on abattait pendant leur chute.

Le fléau des querelles du Moyen-Orient avait fini par s'abattre sur l'Amérique. Le monde avait basculé sur son axe et un nouvel horizon pointait. Un horizon plein de menace, de peur et de représailles. Et je savais que rien de bon ne pouvait en sortir.

Il y eut un court moment pendant lequel les Américains eurent l'occasion de changer radicalement l'avenir, en créant un espace entre action et réaction. Mais les républicains néoconservateurs se dépêchèrent de refermer cette fenêtre en mettant en place la phase suivante de la guerre. Pour la première fois, ils préconisèrent l'utilisation de la puissance économique et militaire américaine à des fins offensives, pour renverser des ennemis et promouvoir la démocratie dans d'autres pays.

La période pendant laquelle le monde entier fut saisi de compassion pour les États-Unis ne dura pas longtemps. Elle fut vite éclipsée par l'avènement d'une nouvelle ère pour l'Amérique, une ère où l'action militaire reposait sur la vengeance. Pour avoir vécu pendant des années l'escalade de la violence au Liban, je savais que la vengeance est le carburant de la guerre. Et qu'elle

200

enflammerait si bien le conflit qu'il n'y aurait ni retour en arrière ni salut possibles.

Il était impossible de dire quoi que ce soit contre la guerre. C'était considéré comme une trahison. Depuis le 11 septembre, l'administration Bush avait mis la rhétorique du terrorisme et de l'Axe du Mal en place. Elle ouvrait la voie au déploiement de l'une des guerres les plus inutiles de l'histoire moderne.

Je regardais, effarée, l'Organisation des Nations unies se convertir en un vaste forum de marketing pour la guerre en Irak et je regardais, encore plus horrifiée, les sénateurs américains se plier au vote favorable au déclenchement unilatéral de cette guerre. Je ne pouvais pas croire qu'ils soient si faciles à intimider au moment même où des milliers de personnes, dans les rues de toutes les grandes capitales du monde, défilaient contre la guerre.

Ce n'était pas un spectacle de démocratie, juste la mise en œuvre explicite des directives gouvernementales, de ce qui fut connu sous le nom de « Doctrine Bush », un terme utilisé par le vice-président Dick Cheney dans un discours de juin 2003 où il affirma : *S'il y a quelqu'un dans le monde qui doute aujourd'hui du sérieux de la doctrine Bush, j'exhorte cette personne à étudier le destin réservé aux Talibans en Afghanistan, et au régime de Saddam Hussein en Irak.*

La doctrine néoconservatrice de Bush changea effectivement l'image que le monde avait de l'Amérique. Il était bien loin, désormais, le jour J de 1944 où l'Amérique sauva le monde libre de la poigne de fer du fascisme.

Avec l'opération « Iraqi Freedom », les États-Unis s'engageaient à livrer des guerres préventives. Ils se donnaient carte blanche pour abattre des régimes étrangers représentant une menace potentielle, ou perçue comme telle, pour leur sécurité, même si cette menace n'était pas immédiate. Ce point de vue d'hégémonie culturelle qui consistait à exporter la démocratie dans le monde et en particulier au Moyen-Orient, afin de lutter contre le terrorisme et de servir les intérêts militaires et économiques des États-Unis constitua la pierre angulaire de la nouvelle politique étrangère américaine.

Avec le recul, il est évident que les États-Unis ont échoué de façon spectaculaire. Ils ont perdu une grande partie de leur influence politique en Irak au profit des Iraniens. Il semblerait que l'administration Bush ait également mal calculé l'écart démographique entre les communautés – une donnée essentielle en démocratie – entre les chiites qui représentent 65 % de la population et les sunnites, qui n'en représentent que 35 %.

Les États-Unis ont fait les mêmes erreurs de calcul en Palestine. Lorsque le Hamas, groupe militant qui s'opposa à Israël et qui fut responsable de nombreux actes terroristes, gagna les élections parlementaires de 2006, celles-ci reflétaient bien la volonté du peuple. Et c'est bien l'exercice de la démocratie qui avait pavé la route du Hamas pour qu'il prenne le contrôle de l'Autorité Palestinienne à Gaza.

Après cette victoire, au cours d'une séance de questions à la Maison Blanche, George W. Bush répondit que, même si les États-Unis soutenaient la démocratie, ils n'étaient pas toujours obligés d'en accepter les résultats électoraux. Cette déclaration, qui reflète une évidente contradiction interne, illustre bien le dilemme auquel l'Amérique s'est retrouvé confrontée en tentant d'appliquer la doctrine Bush.

Les États-Unis devinrent, à ce moment-là, si impopulaires, que pour la première fois de leur histoire, les Américains à l'étranger se sentaient mal à l'aise vis-à-vis de leur pays. Le commentaire « nous aimons le peuple américain, mais pas leur président » était devenu la phrase clé de toute conversation avec eux.

Dans ces années-là, j'abandonnai tout espoir pour le futur proche et, désespérant de l'état du monde, me résignai à toutes les morts inutiles qu'allait engendrer cette nouvelle ligne de conduite.

Outre les fiascos de la politique étrangère, une culture de la peur et de la diabolisation s'installa dans le pays. Le profilage racial en était la composante de base. J'avais déjà vécu tout cela et je savais que cette tactique n'était qu'un outil pour justifier l'abus de pouvoir. De fait, il ne fallut que quelques mois pour que les libertés civiles soient réduites et le droit à la vie privée restreint, comme en témoigna le scandale des écoutes téléphoniques qui choqua tous les Américains. La terreur et son produit dérivé, l'abus de pouvoir, m'avaient rattrapée en Amérique et il semblait qu'il n'y avait aucun endroit où leur échapper. Les détenteurs de cartes vertes redoutaient d'avoir à les rendre. Le pays était tenu par la peur.

Au-delà de la tragédie du 11 septembre, l'année 2001 fut pour moi une année très difficile. Ma mère mourut en février, à Londres, de complications liées au diabète. Comme la plupart des événements qui avaient changé le cours de ma vie auparavant, sa mort fut particulièrement violente et horrible. Elle avait développé une neuropathie sévère et la circulation sanguine s'effectuait très mal dans les jambes et les pieds. Vers la fin de sa vie, elle subit plusieurs opérations de pontage infructueuses qui conduisirent à des amputations successives. Elle perdit d'abord des orteils, puis un pied et enfin une jambe. Le médecin m'expliqua qu'ils appelaient ça « la mort par découpe ! » C'était horrible de la voir ainsi amputée jusqu'à la mort, au fur et à mesure que la gangrène empiétait sur les cellules saines.

Vers la fin, un caillot de sang provoqua une embolie pulmonaire massive. J'arrivai juste avant que les médecins la réaniment et la crus morte. Son corps gisait, sombre comme l'ébène. Ils ne réussirent à la réanimer que partiellement. Ses yeux restaient noirs et vides. Elle était captive quelque part, à l'intérieur d'elle-même, et elle souffrait. Son corps se cambrait dans l'agonie et cela dura pendant vingt longues heures malgré les tranquillisants administrés par les médecins, assez puissants pour dompter un éléphant, prétendaient-ils.

La voir souffrir ainsi me fut insupportable. À plusieurs reprises, elle s'assit dans le lit. On aurait dit qu'elle repoussait des démons. Je ne sais pas ce qu'elle vit ou sentit. Elle n'était pas vraiment présente, plutôt enfermée dans un monde intermédiaire entre la vie et la mort. Quelle qu'ait été la bataille pour son âme, elle faisait rage et ce n'était pas facile. Ma mère n'avait jamais cru à une puissance supérieure. Cela ne faisait tout simplement pas partie de sa réalité quotidienne. Elle était trop amoureuse du monde pour se soucier de l'au-delà.

Enfin, incapable de résister plus longtemps au spectacle de sa torture, je regardai l'infirmière lui administrer la morphine qui serait, nous le savions toutes les deux, son ange de la mort. Je restai avec elle jusqu'à la fin ou au début, tout dépend comment on voit les choses. Quand elle passa finalement dans l'autre monde, je regardai son corps sans vie et il me sembla méconnaissable. Sa puissance et sa magnificence avaient disparu. D'elle, il ne restait qu'un être humain qui ressemblait à tous les humains au moment de la mort. Je restai assise à ses côtés, dans la chambre et, environ une heure après sa mort physique, je ressentis soudain une flambée d'un amour si

enveloppant qu'il me libéra de ma propre douleur.

J'avais décidé au début de sa maladie d'être
près d'elle et de réparer tout ce qui avait été
abîmé dans notre relation. Nous avions dû lutter
toutes les deux pour gérer le stress de toutes ces
années de guerre. Ma mère, qui était depuis le
début une étrangère, s'était sentie complètement
abandonnée et trahie quand mon père l'avait
quittée pour une autre femme. Cela avait mis
une tension terrible entre nous au moment
même où notre monde s'écroulait tout autour.

Jeune, ma mère avait été l'une des grandes
beautés de sa génération. Elle avait fait une carrière de top-model dans les années 1950,
d'actrice de cinéma et de présentatrice de télévision qu'elle devait à sa beauté et à sa forte personnalité. Par contraste, les derniers mois de sa
vie, alors qu'elle perdait peu à peu le goût de
vivre, furent d'autant plus durs à voir.

L'amputation de la jambe l'aurait laissée han-
dicapée et je pense que c'en aurait été trop pour
elle. Ses jambes, jadis assurées pour plus d'un
million de livres, finirent déformées. Encore une
fois, j'observais l'ironie de la vie. Nous perdons
en premier les choses auxquelles nous sommes le
plus attachés. Ce fut une grande leçon pour moi

sur notre attachement aux objets et sur leur côté éphémère.

Son décès marqua la fin d'un chapitre de ma vie. La violence de sa mort me fit me demander pourquoi ma vie était si lourde d'horreurs. Pour quelle raison avais-je été depuis ma naissance exposée à de tels extrêmes ? Mon père et ma famille avaient été abattus, trop d'amis tués et ma mère « découpée à mort ». J'en avais vu plus qu'assez mais il n'y avait aucun doute que la violence extrême faisait partie intégrante de ce que j'étais venue expérimenter dans cette vie.

Après l'enterrement à Londres, je rentrai à Washington. Je ne réalisai pas quelle colère profonde m'habitait. Je décidai immédiatement d'embellir le jardin de notre propriété. J'engageai trois bûcherons pour abattre treize vieux chênes. Leurs scies travaillaient sans relâche et je pouvais entendre le grincement des grands arbres avant qu'ils ne s'abattent. À un moment donné, je courus dehors. En les voyant tomber en grondant sur le sol, je réalisai l'énormité de ma décision et le blasphème que je venais de commettre dans ma rage.

Je compris que je coupais ces arbres exactement comme on avait coupé les jambes de ma mère. C'était ma douleur et ma colère brûlantes qui s'exprimaient dans ce sacrifice primitif. Je compris quelle force était tapie sous le besoin de détruire, une force faite de souffrance, de perte, de chagrin et de désarroi. Je tombai à genoux et pleurai, sur ma mère et sur les arbres qui avaient péri à cause des injustices de la vie et de ma propre inconscience.

Après le 11 septembre et l'épisode de l'anthrax, le fameux tireur embusqué du Beltway fit dix morts en l'espace de trois semaines dans notre quartier. Je sus qu'il était temps de partir. Il ne nous fallut que quelques mois pour vendre notre maison et déménager en Floride, loin de la capitale des États-Unis et de tout ce qu'elle représentait. Je ne voulais plus faire partie de ce monde. J'en avais assez vu et je ne supportais pas la tournure objective que prenaient les événements et leurs conséquences prévisibles.

Nous arrivâmes en Floride en 2002, au moment où commençait la seconde guerre du Golfe. Une fois de plus, je regardai les bombes tomber comme une pluie noire en pleurant la perte de chaque innocent. Mais, cette fois-ci, je n'étais pas directement impliquée. C'était comme si la page était tournée.

Pour la première fois, je pouvais choisir de vivre une vie normale si je le souhaitais. Il y avait une forme de progrès dans mon destin : cette fois-ci, le carnage ne me concernait pas directement. Je sais que ça peut paraître égoïste mais je ne voulais plus m'impliquer dans la guerre. Au contraire, je choisissais sciemment de m'en tenir aussi éloignée que possible.

Toute ma vie, j'avais été la victime d'une société réactive. La guerre est une réaction. Son moteur est la vengeance qui implique de réagir à un acte par un autre, souvent pire. Elle emprisonne les individus dans la roue d'un karma sans fin où la violence et le châtiment s'auto-perpétuent. On dit que deux maux ne font pas un bien mais l'escalade du mal est pourtant la méthode d'interaction préférée des nations et des factions ennemies.

En novembre 2004, je reçus un appel téléphonique de l'un des jeunes hommes qui aimait beaucoup mon père. Il me dit sa désillusion et celle de beaucoup de ses camarades face au tour que prenait le parti entre les mains de mon oncle.

Je décidai d'aller au Liban voir les choses de plus près. Dès mon arrivée, je fus surprise par la somme de dissensions qui existait entre les responsables du parti. Je constatai aussi, abasourdie, que tous ces gens qui avaient perçu mon arrivée au Liban en 1994 comme une menace et m'avaient jadis ignorée comptaient soudain sur mon aide pour pallier ce qui leur apparaissait comme une mauvaise gestion du parti par mon oncle.

J'assistai à une réunion très importante regroupant la plupart des hauts cadres du parti. Ils se plaignirent des prises de position de mon oncle et de sa rigidité. Ils m'expliquèrent qu'il avait exclu des membres très loyaux du parti, sans raison valable et avait, dès son arrivée, pris pour bras droit un homme dont tout le monde se méfiait et que mon père avait lui-même expulsé parce qu'il était étroitement lié aux Forces Libanaises. Réintégré par Dory, il se comportait de façon odieuse et discriminatoire avec quiconque aimait mon père.

Ils estimaient également que le parcours politique de mon oncle n'était pas digne d'un Chamoun. Il avait été élu maire de son village natal alors que tout le monde pensait qu'il aurait dû devenir ministre du gouvernement. Dans les faits, ils estimaient que ses choix avaient considérablement réduit la stature publique du parti et limité son champ d'action dans l'arène politique nationale.

Fondamentalement, tous ces gens, qui étaient fidèles à mon père, se rendaient compte que mon oncle avait fait main basse sur le parti. Il se l'était approprié en refusant d'organiser des élections et en excluant tous ceux qui n'étaient pas d'accord avec lui, c'est-à-dire souvent des personnes qui avaient combattu et perdu des leurs au nom de la famille Chamoun et qui ne pouvaient pas comprendre que Dory les traite ainsi, après tous les sacrifices qu'ils avaient faits.

Mon oncle, selon eux, avait, sur une décision unilatérale, vendu l'immeuble du siège de la SNA, pour la somme substantielle d'1,4 million de dollars. Ils affirmaient que cet argent – qui appartenait au parti – avait été versé sur son compte personnel et qu'il l'avait investi dans une entreprise de recyclage à Houston, au Texas, dont il détenait des parts. Cette société ayant fait faillite peu de temps après, l'argent n'avait jamais été remboursé au parti. Il y avait encore beaucoup de griefs et de contentieux du même style.

Après de nombreuses réunions avec eux, pour tenter d'établir les causes et la validité de leurs revendications, je décidai de rencontrer mon oncle pour entendre sa version des faits. Je le vis deux fois et à chaque fois il eut la même attitude courue d'avance, refusant d'entendre ce que

212

j'avais à lui dire et campant sur ses positions. Il rejeta leurs doléances et les traita de bande d'imbéciles, en termes moins châtiés, bien sûr. Lorsque je mentionnai leur sentiment de trahison ainsi que leur amour pour mon père Dany, il me dit qu'il était temps que je réalise que mon père ne comptait plus pour rien ni pour personne.

Je sortis de cette rencontre accablée et rapportai notre discussion aux autres. La dureté du propos de mon oncle sur mon père me laissa sonnée, ce jour-là. Prise entre les accusations portées contre mon oncle d'une part et le soutien que me manifestait la vieille garde du parti de l'autre, je sentais surgir en moi, à ce point de ma vie, la tentation de réintégrer l'arène politique. J'avais l'impression que les membres dirigeants du parti me poussaient à les aider à remplacer mon oncle à la direction de l'organisation. L'offre était sur la table. C'était un rendez-vous avec le destin et une occasion pour moi d'entrer finalement dans le rôle pour lequel, selon toute apparence, j'étais née et avais été élevée. Un grand rassemblement eut lieu où des centaines de partisans de mon père vinrent témoigner de leur soutien à ce projet.

Mais avant de m'engager plus avant et parce que j'avais été hors du pays pendant quelques années, je souhaitai me faire une idée de la réaction que susciterait mon retour chez certains dirigeants. Le climat politique à l'époque était très tendu. L'antagonisme entre le gouvernement pro-syrien et le Premier ministre Rafic Hariri avait considérablement augmenté depuis la mort de Hafez El-Assad en 2000.

Bachar El-Assad, le fils de Hafez, était arrivé au pouvoir en réussissant à distancer les hommes de l'entourage de son père. À la suite de ce remaniement interne du pouvoir syrien en faveur de Bachar et de ses frères, le régime adopta une couleur allawite et la relation avec Hariri et ses bailleurs de fonds saoudiens – des Wahabites sunnites – devint plus difficile. La communauté allawite, minoritaire, se sentait naturellement plus proche des chiites du Liban et cultivait ses liens avec eux *via* son alliance avec l'Iran.

En 2005, au Liban, Hariri entama un bras de fer avec le président Émile Lahoud. Celui-ci se présenta pour un deuxième mandat présidentiel, contraire à la Constitution, avec le soutien du régime syrien. L'absence de coopération de M. Hariri, qui refusa de soutenir la prolongation

214

du mandat de Lahoud, mit le leadership syrien dans un état de frustration et de colère.

Hariri était aux antipodes de Lahoud. Le candidat pro-syrien était doté d'un penchant au stoïcisme, forgé par la discipline militaire. Il se gardait de tout gaspillage et se vantait de son esprit de rigueur. Hariri, lui, avait été moulé dans les palais d'Arabie Saoudite. Il incarnait l'opulence et l'auto-indulgence. Il attirait le grand et le riche et se mouvait dans un cercle de privilèges et de droits. Il n'y avait aucun espoir qu'ils s'entendent. Lahoud se voyait comme le garde-fou des appétits financiers gargantuesques de Hariri et de ses pulsions pour les affaires. Hariri se considérait comme l'architecte et le magicien de la renaissance financière du Liban. Lahoud accusait Hariri de corruption et Hariri accusait Lahoud de petitesse.

À l'époque, la lutte entre les deux hommes occupait la scène politique. Je décidai de rendre visite à Walid Joumblatt, le terrible chef de la communauté druze, ainsi qu'au Premier ministre Hariri que je n'avais pas vu depuis l'époque du procès où il m'avait beaucoup aidée.

Joumblatt me rencontra à son domicile de Beyrouth. Il semblait désabusé et ne fit, pour l'essentiel, que me démontrer la futilité de mon éventuelle implication en politique. À l'époque, il était aussi en désaccord avec le régime syrien sur la réélection du président de la République. Je ne l'avais jamais vu aussi fatigué et aigri par rapport à la politique. Je ne savais trop comment interpréter ses paroles parce que Walid est très lunatique et ses humeurs, comme ses comporte-ments, diffèrent d'un jour à l'autre. Mais pour l'essentiel, je perçus chez lui une grande lassi-tude.

Ce fut aussi l'ambiance lorsque je rendis visite au Premier ministre Hariri. Toutefois, contrai-rement à Joumblatt, il se montra très conciliant. Depuis la fin de la guerre, on faisait souvent référence à l'absence de chef dans le camp chré-tien. Et c'était vrai alors. Geagea était en prison et Aoun était encore en exil en France. Mon oncle n'avait pas laissé d'empreinte sur la scène politique, préférant se contenter d'être le maire de Deir El Kamar.

L'antagonisme virulent qu'entretenait Hariri avec le président Lahoud lui fit voir en moi un interlocuteur chrétien possible, car plus neutre, et il fut donc heureux d'apprendre que je pensais de plus en plus à m'impliquer en politique.

Il y avait longtemps que nous n'avions pas eu l'occasion de discuter tranquillement. Cependant, ce jour-là, il avait l'air épuisé et semblait profondément inquiet. Il passa l'essentiel de notre rencontre à m'expliquer à quel point il était ennuyeux, perturbateur et stressant de travailler avec le président Lahoud. Il se sentait pris au piège et était incapable de se dépêtrer de ses frustrations. Je le quittai en sachant que le choix de mon retour n'incomberait qu'à moi seule.

Ironie du sort, ce jour-là, Hariri me fit remarquer qu'il me trouvait bien, beaucoup mieux que lors de notre dernière rencontre où j'étais terriblement stressée. En revanche, en le regardant lui, entouré de tant de richesse et de servilité, je vis un homme épuisé et découragé, tout comme l'avait été mon père avant sa mort. Le destin voulut que Hariri fût assassiné trois mois plus tard. Je crois que tous les deux, Hariri et mon père, ont senti leur fin venir.

La simple question existe
Pourquoi chercher la réussite
Quand le résultat lui-même
Vaut rarement la peine

Les échecs et même les victoires
Sont de nature illusoires
Pleins d'orgueil démesuré
Et d'œuvres vainement vantées

Puisqu'à la fin ce qui résiste
C'est ta vision Dieu qui persiste
Ta présence depuis la nuit des temps
Qui inonde notre vaste néant

Je ne peux questionner ma réalité
Les réponses sont déjà données
Par le simple fait d'exister
Où même la mort est pardonnée

Je ne peux que me réveiller
Dans le théâtre de ma vie entamée
C'est pourquoi, je cherche la simplicité
De vivre ma prière inachevée

Extrait
« Prière inachevée »

9.

Au terme de toutes ces discussions, je quittai Beyrouth, persuadée qu'il me fallait retourner vivre au Liban. C'est un peu plus tard, une fois rentrée aux États-Unis, que j'ai senti le poids écrasant de cet engagement.

Il y a des moments dans la vie où l'on est à la croisée des chemins. C'était le cas pour moi. Tous les éléments étaient en place pour que je fasse ce choix de changer de vie. Fred, mon mari, quoique réticent à l'idée de nous voir déménager au Liban, voulait bien l'envisager. Nous discutâmes des conséquences pour son travail, pour sa famille aux États-Unis ainsi que pour notre fils. Il fut décidé que nous effectuerions la transition en douceur, sur une période d'un an. Je partirais d'abord m'installer seule, puis Fred suivrait avec notre fils, Lex.

Que s'est-il passé ensuite ? Pourquoi rien de tout ça ne se fit ? Aujourd'hui, alors que j'écris, je comprends mieux les raisons pour lesquelles je ne fis pas ce saut décisif.

Sur le moment, ma réflexion fut très pragmatique. Compte tenu des circonstances, on me demandait, en fait, de faire éclater ma famille. C'était le même schéma de querelles intrafamiliales, pour prendre le contrôle de la succession, qui se répétait, un schéma classique au Liban, tout particulièrement du côté chrétien. Cette maladie de la division s'est répandue sur les autres communautés. Le pays tout entier est contaminé.

Au moment même où je méditais sur le poids et la responsabilité de mes actes, de petites échauffourées eurent lieu entre les jeunes partisans de mon oncle et ceux de mon père. J'eus la vision horrible de frères s'affrontant dans le sang au sein d'une même famille, si cette rupture était consommée. Honnêtement, je ne pouvais pas accepter ça, à plus forte raison d'en être la cause. J'avais deux possibilités : soit retourner au Liban pour m'opposer à mon oncle, avec tous les risques de voir la situation s'enflammer ; soit me retirer de l'arène et supprimer ainsi les raisons du conflit.

Malgré tout, je me sentais tenue d'aider ceux qui me demandaient d'apporter le changement qu'ils souhaitaient. Au cœur de cette tourmente, je réalisai que je ne convoitais pas le pouvoir. Au contraire, j'étais allée trop loin dans mon propre éveil pour souhaiter prendre part à ce genre de choses. Je comprenais l'héritage karmique de ce type de comportement et ses effets. Tous ceux que j'avais connus et qui avaient choisi la violence pour servir leur ambition propre avaient perdu la vie. Je ne pouvais pas répéter les mêmes drames inutiles.

Dans ces moments de déchirement intérieur, la psyché crée d'étranges associations. J'eus une vision claire de ma grand-mère, Zelpha. Elle n'aurait pas approuvé cette guerre interne, je le sentais profondément. D'autant plus qu'en disputant à mon oncle la direction du parti, j'allais au fond contre l'ordre naturel des choses. Dory était le successeur de mon grand-père, pour le meilleur et pour le pire, et c'était mon aîné. Je pris hardiment le téléphone et l'appelai. Il répondit avec anxiété, ne sachant trop à quoi s'attendre. Je lui dis en termes très clairs que je ne le défierais pas et que je me retirais de toute action politique contre lui.

Ma décision fut accueillie avec un immense soulagement et la nouvelle se propagea à une vitesse foudroyante. Il y avait un prix à payer : la déception des membres du parti qui avaient tout misé sur moi. Je sentais à quel point le poids de mon choix écrasait leurs rêves.

Avec le recul, je comprends combien il leur fut difficile d'accepter ma décision mais j'étais convaincue qu'à terme, ce choix de ne pas perpétuer la lutte les libérerait. Je coupais le cordon ombilical avec ma famille et forçais ainsi beaucoup d'entre eux à suivre leur propre destin. Certains renoncèrent, de ce fait, à la politique et reprirent le cours de leur vie professionnelle, en tant que médecins, avocats ou ingénieurs, tandis que d'autres, le cœur et l'âme encore agités, cherchèrent un autre leader pour remplacer mon père et le courant qu'il incarnait. Ils se tournèrent naturellement vers le général Michel Aoun, estimant qu'il représentait la même ligne politique, fondée sur le nationalisme et une éthique de l'anticorruption. De fait, Aoun n'allait pas tarder à rentrer au Liban et à récolter les suffrages de tous ceux que mon oncle avait négligés ou exclus.

C'est là un trait typiquement libanais : le plus grand nombre cherche absolument à remettre son destin entre les mains de quelques-uns. Malheureusement, ce comportement se révèle aussi déresponsabilisant que fautif. Il entretient, depuis des décennies, une classe dirigeante moralement corrompue et nourrit l'idolâtrie à l'égard de leaders dont les effigies sont placardées dans les rues et les noms brandis comme des armes. Ce culte du héros, qui le glorifie autant qu'il l'avilit, évite aussi à chacun de prendre la responsabilité de son destin. Chaque génération est piégée à son tour dans ce schéma malsain dont la pérennité est assurée par la structure même de la société libanaise, organisée en classes rigides. C'est un système féodal, qui repose sur une co-dépendance que chacun s'évertue à préserver. Les dirigeants font des choix en tablant sur la loyauté de leurs partisans et le peuple met ses dirigeants sur un piédestal irréaliste, qui a pour eux la tragique conséquence d'augmenter leur probabilité d'être assassinés. Détruisez l'icône et l'ensemble du mouvement politique, érigé sur sa personnalité, s'effondre.

Pendant des années, j'avais été un pur produit de cet étroit schéma féodal traditionnel. Il avait forgé mon identité. J'étais la fille d'un martyr défunt et je devais me conformer à ce rôle et l'assumer sinon tout ce qu'il représentait disparaîtrait. C'est la raison pour laquelle la décision de me retirer fut si difficile à prendre et source de tant de conflits intérieurs. Je me sentis terriblement coupable de tourner le dos à cet héritage.

J'essayai d'arranger la situation avec mon oncle. Même si j'avais perdu l'occasion de jouer un rôle politique au Liban, je pensais au moins avoir gagné une famille. J'avais du mal à accepter d'avoir perdu tous les miens pour continuer à me sentir comme une étrangère dans ma propre famille. Je tenais à sauver au moins ça.

Dans un effort pour renouer, j'invitai mon oncle à passer une semaine chez nous lors de son prochain voyage aux États-Unis. Il vint et les tensions s'apaisèrent. Nous essayâmes de passer à autre chose. Cependant, au fil du temps, la communication entre nous se fit de plus en plus rare. Il venait souvent en Amérique sans me le dire. Je l'apprenais par quelqu'un d'autre. Il semblait avoir, soit une indifférence totale à mon égard, soit la volonté délibérée de m'exclure et cela m'attrista. Tout portait à croire qu'il était soulagé de ne plus me voir sur son chemin. Je m'efforçai de dépasser ça et de le laisser avoir ce qu'il souhaitait.

Avec le recul, j'observe que le temps compte et qu'il est important de croire à la validité des choix que nous faisons à partir du moment où ils sont faits dans l'intégrité. Pour le reste, nous n'avons qu'une vue partielle de nos vies et ne pouvons jamais faire que des hypothèses, fondées sur le minuscule fragment de réalité qu'il nous est donné de voir à un moment donné. J'avais dû faire au mieux mon choix du moment. J'essayai de l'assumer en prenant de la distance avec le Liban pour recentrer ma vie sur les États-Unis. Mais ce ne fut pas possible.

Le Premier ministre Rafic Hariri fut assassiné le jour de la Saint-Valentin, en 2005, dans une explosion à la voiture piégée qui secoua le pays tout entier. Je me rappelai à quel point il m'avait paru anxieux lors de notre rencontre. Je portai son deuil, comme tout le monde. J'avais conscience que le moment était particulièrement critique pour le Liban. L'onde de choc de cette explosion allait produire des effets à long terme et remodeler le paysage politique des années à venir, mettant le Liban à la merci des forces dominantes qui ébranlaient l'ensemble de la région. Je savais que depuis le 11 septembre 2001, avec le lancement de l'opération « Liberté pour l'Irak », les néoconservateurs aux États-Unis avaient entrepris de réorganiser la carte du Moyen-Orient. Tous les acteurs locaux, y compris Rafic Hariri, Émile Lahoud, le Hezbollah et Bachar El-Assad étaient désormais des pions dans cette vaste entreprise de restructuration, où les opinions comme les dirigeants étaient tenus de se ranger dans le camp des inféodés ou dans celui de l'« Axe du Mal ».

Le lauréat du prix Pulitzer, Seymor M. Hersh, publia dans le *New York Times* daté 5 mars 2007, un article intitulé : « La réorientation – La nouvelle politique de l'administration bénéficie-t-elle à nos ennemis dans la guerre contre le terrorisme ? » Il y affirmait : *Dans son témoignage devant le Comité sénatorial des Relations étrangères, en janvier, la Secrétaire d'État américaine Condoleezza Rice a déclaré qu'il y avait « un nouvel alignement stratégique au Moyen-Orient », séparant les « réformateurs » et les « extrémistes ». Elle a désigné les États sunnites comme des modèles de modération et souligné que l'Iran, la Syrie et le*

*Hezbollah étaient « de l'autre côté du fossé » (la
majorité de la Syrie quoique sunnite étant dirigée
par les alaouites). L'Iran et la Syrie, a-t-elle dit,
« ont fait leur choix, celui de la déstabilisation ».*
La stratégie que les États-Unis adoptèrent à
l'égard de la Syrie, en refusant le dialogue et en
la menaçant du même sort que l'Irak, créa des
tensions insupportables dans la région et mit le
jeune président syrien dos au mur. En outre, la
mise en œuvre de la résolution 1559 des Nations
unies par l'administration Bush, alors renforcée
par ses exploits guerriers, créa, préalablement à
l'assassinat de Hariri, un environnement explosif.
La programmation de la résolution 1559, qui
était essentielle à la stratégie américaine, visait à
ajouter une pression supplémentaire sur la Syrie
afin de l'isoler encore plus. Entre autres, la résolution ciblait spécifiquement la Syrie et le Hezbollah, en appelant au retrait du Liban de toutes
les forces étrangères restantes ainsi qu'au désarmement et au démantèlement de toutes les
milices libanaises et non libanaises.
   Soumis à de fortes pressions internationales,
Bachar El-Assad misa maladroitement sur
l'extension – inconstitutionnelle – du mandat du
président Lahoud au Liban pour consolider sa
présence politique. Il pouvait être certain que

Lahoud était dans le camp des Syriens et, surtout, que la prolongation de son mandat garantirait une autonomie d'action au Hezbollah, qui faisait partie intégrante du pouvoir de la Syrie dans la région. Hariri fut pris dans le feu croisé de ces détonateurs régionaux.

En plus de ces pressions, l'aversion mutuelle d'Hariri et de Lahoud causa de grands torts à la communauté libanaise dominée par les services de renseignements syriens. Elle creusa un peu plus le fossé entre le Président soutenu par la Syrie et le Premier ministre qui prônait la coopération avec l'Occident et se retrouva, de ce fait, dans un environnement très menaçant pour lui. La corruption qu'Hariri avait institutionnalisée dans le pays ne servit qu'à noircir un peu plus le tableau, étant donné qu'il versait des salaires à la plupart des officiers syriens.

La convergence de tous ces facteurs, la polarisation régionale créée par la résolution de l'ONU, l'intransigeance d'Hariri, l'appui d'Assad à la prorogation du mandat de Lahoud et la corruption rampante au sein de la communauté du renseignement syrien, expliquent qu'à la mort d'Hariri il y eut un consensus immédiat pour attribuer son assassinat aux Syriens. Même la communauté sunnite, jusque-là favorable à la présence syrienne au Liban, leur reprocha le meurtre.

Dans la matinée, environ une tonne de TNT explosa lors du passage du cortège de Hariri devant l'hôtel Saint-Georges au cœur de Beyrouth. La nouvelle fit le tour de la planète. Vingt-deux personnes périrent ce jour-là, la plupart brûlées vives. Hariri fut retrouvé sur la route, éjecté de sa voiture blindée, brûlé et méconnaissable. Il pouvait emprunter ce matin-là quatre itinéraires différents. Il faut donc supposer qu'il y eut des explosifs sur les quatre. En tout état de cause, on avait la ferme intention de se débarrasser de lui et de déclencher une série d'événements qui changeraient le visage du Liban.

Au fil des ans, Hariri avait bâti une solide amitié avec le président Chirac. Dans le passé, Jacques Chirac s'était révélé très utile pour sa carrière politique. Les rumeurs abondaient également sur l'aide qu'avait apportée Hariri au financement des campagnes de Chirac, en achetant des entreprises françaises en difficulté ou en les aidant à obtenir des contrats lucratifs en Arabie Saoudite. Les deux hommes entretenaient des liens personnels étroits et, quand Chirac se rendit à Beyrouth pour assister aux funérailles de Hariri, on dit qu'il s'engagea en privé à punir les assassins. C'est ce jour-là qu'il avança l'idée de créer un « Tribunal international » dans le cadre du Conseil de sécurité de l'ONU pour enquêter sur l'assassinat. George W. Bush appuya l'idée. Il constituerait un outil utile pour conforter la position des États-Unis contre la Syrie et ses efforts de guerre en Irak et dans la région. La controverse sur le Tribunal international mit, à plusieurs reprises, le Liban au bord d'une autre guerre civile. Il divisa tellement la nation qu'il empêcha la formation d'un gouvernement de consensus. Les politiques s'opposaient non seulement sur les motivations du Tribunal et sur ses conclusions mais aussi sur son financement.

Le Tribunal devint rapidement une tribune politique plus qu'autre chose. Ses machinations reflétaient les ambitions des nations étrangères ainsi qu'une lutte interne pour le pouvoir. Il avait pour mission d'effectuer une enquête impartiale sur l'assassinat de Hariri. Cependant, quelque temps plus tard, le Tribunal accusa en premier lieu la Syrie, fit arrêter à tort quatre généraux libanais populaires et les retint captifs pendant quatre ans au Liban. Ils furent finalement libérés faute de preuves. Pour finir, le Tri-

LE SANG DE LA PAIX

bunal accusa le Hezbollah, poussant même à ce qu'on lui intente des procès par contumace. Ces accusations à tout va détruisirent sa crédibilité et témoignèrent de sa sérieuse manipulation par la politique internationale.

À ce jour, il n'existe aucune preuve concrète de l'implication de la Syrie dans l'assassinat de Hariri. L'accusation contre le Hezbollah est tout aussi sommaire et en contradiction avec la relation personnelle qu'entretenaient Hariri et Sayed Hassan Nasrallah, le leader du Hezbollah. Il était notoire que les deux hommes s'estimaient et qu'ils étaient même devenus amis. Ils se voyaient régulièrement, et de manière informelle, avant son assassinat.

Selon Seymour Hersh, dans l'article déjà mentionné, en 2006-2007, les États-Unis déplacèrent l'objectif de leur stratégie de défense nationale de l'Irak à l'Iran. Ils percevaient la menace croissante d'une mainmise de l'Iran sur un Irak affaibli. L'ambassadeur d'Arabie Saoudite à Washington, le prince Bandar, qui avait des liens étroits avec le vice-président Dick Cheney, voyait également la menace que représentait la montée de l'Iran et des chiites dans la région. Les Saoudiens redoutaient que l'Iran ne fasse pencher la balance du pouvoir, non seulement dans la région mais aussi dans leur propre pays : l'Arabie Saoudite compte une importante minorité chiite dans sa province de l'Est, une région riche en champs de pétrole. Le renversement de Saddam Hussein, son exécution et la destruction de son armée, seule capable de contenir l'Iran, par les États-Unis, n'avaient fait qu'exacerber leurs craintes.

Hersh décrit comment les Saoudiens utilisèrent leurs moyens financiers considérables pour soutenir et financer les Frères Musulmans et les Salafistes, des extrémistes sunnites qui considèrent les chiites comme des apostats. Depuis 1979 et le siège de La Mecque par des ressortissants saoudiens fondamentalistes – un événement éradiqué des livres d'histoire – la famille royale saoudienne était devenue à la fois le sponsor et la cible d'extrémistes sunnites qui s'opposaient à la corruption et à la décadence de ses innombrables princes. La famille régnante fit le pari de soutenir les écoles religieuses et les organisations caritatives liées aux extrémistes pensant ainsi éviter d'être renversée. Elle exporta, toutefois, la plupart de ces mouvements fondamentalistes afin qu'ils réorientent leur zèle vers d'autres cibles.

Hersh explique qu'Al-Qaïda émergea à la fin des années 1980 lorsque le gouvernement saoudien offrit à la CIA de financer la guerre secrète qu'il menait par procuration contre l'Union soviétique en Afghanistan. Des centaines de jeunes Saoudiens furent dépêchés dans les zones frontalières du Pakistan. Ils mirent en place des écoles religieuses et des bases d'entraînement. Parmi eux se trouvaient Oussama Ben Laden et ses associés qui fondèrent Al-Qaïda en 1988.

Les Saoudiens, par l'intermédiaire du prince Bandar, réussirent à convaincre l'administration Bush que la plus grande menace venait de l'Iran et que les radicaux sunnites représentaient un ennemi moindre. Cheney commença à travailler directement avec les nations sunnites pour contrer l'ascendance chiite dans la région. Il fut convenu que le gouvernement saoudien, avec l'approbation de Washington, fournirait des fonds et une aide logistique pour affaiblir le gouvernement du président syrien Bachar El-Assad, considéré comme le protecteur du Hezbollah et son principal pourvoyeur d'armes.

Les Saoudiens versèrent une aide financière au Liban, *via* le gouvernement de Fouad Siniora, visant à renforcer la capacité des sunnites à résister à l'influence chiite. Certains de ces fonds finirent entre les mains de groupes radicaux émergents ayant des liens idéologiques avec Al-Qaïda, tel que *Fatah Al-Isl*am, établi dans le camp de réfugiés de Nahr al-Bared au nord du Liban.

Hersh affirme clairement : *En 2005, selon un rapport publié aux États-Unis par International Crisis Group, Saad Hariri, chef de la majorité sunnite du parlement libanais et fils de l'ancien Premier ministre assassiné (qui hérita de plus de quatre milliards de dollars après l'assassinat de son père), paya quarante-huit mille dollars de caution pour quatre membres d'un groupe islamique militant de Dinniyeh. Les hommes avaient été arrêtés alors qu'ils tentaient d'établir un mini-État islamique dans le nord du Liban. Le Crisis Group notait que la plupart des militants avaient été entraînés dans des camps d'Al-Qaïda en Afghanistan.*

Le fils de Rafic Hariri, Saad, coopéra pleinement après la mort de son père au plan d'action de Bandar et Cheney et protégea les intérêts des mouvements salafistes au Liban afin de contrer la montée du Hezbollah. Au moment de l'assassinat de Rafic Hariri, ce plan d'action politique américano-saoudien n'était pas encore en place, Rafic Hariri étant étroitement lié à la famille royale saoudienne et à l'administration Bush et les soutenant pleinement. En conséquence, il est possible que les groupes fondamentalistes, y compris Al-Qaïda, aient perçu Hariri comme une marionnette américaine et un instrument d'Israël au Moyen-Orient.

Un de mes amis, musulman sunnite, qui était également un des principaux enquêteurs mandaté auprès du Tribunal, a visionné plus d'une centaine d'heures d'enregistrements vidéo des caméras de surveillance situées sur l'immeuble de la HSBC, sur le lieu du crime. Il a réussi à identifier le van qui a provoqué l'explosion et l'a vu arriver sur le site juste avant celle-ci, ce qui témoigne en soi d'un attentat-suicide. Par conséquent il ne pouvait pas s'agir d'un crime programmé de longue date, comme l'a soutenu le tribunal en avançant que les explosifs avaient été placés là lors des travaux de voirie de la rue. La thèse, qui impliquait le gouvernement libanais dans le complot, a conduit à l'arrestation initiale des quatre généraux innocents. Il est clair qu'un attentat-suicide change tous les paramètres de l'affaire.

Après l'assassinat de Hariri, j'interrogeai le général Jamil El-Sayed (un des généraux injustement incarcéré pendant quatre ans par le Tribunal pénal international, puis relâché), pour connaître son opinion. Il me répondit en termes non équivoques qu'il voyait là l'œuvre d'Al-Qaïda.

Aujourd'hui, à voir l'évolution du Tribunal spécial, l'absence de preuves concrètes contre tous ceux qu'il a désignés comme les auteurs du crime, le temps politique de ces accusations ainsi que l'inexorable montée du salafisme et du djihadisme dans la région entière, on peut légitimement s'interroger sur le tour qu'ont pris les événements. Ainsi la réappropriation des révolutions du printemps arabe par les Frères Musulmans apparaît-elle chargée de sens. Car ce mouvement, latent, est financé et soutenu par l'Arabie Saoudite depuis des décennies. Ils étaient prêts à prendre le pouvoir politique dès que l'occasion leur en serait donnée.

Au Liban, il y eut un court moment, tout de suite après la mort d'Hariri, où la nation se rassembla, comme elle le fait toujours dans la peine, et ce fut la Révolution des Cèdres. Le 14 mars, plusieurs centaines de milliers de personnes se réunirent sur la place des Martyrs dans le centre-ville de Beyrouth pour demander le retrait des Syriens. Cette manifestation vit surgir une nouvelle génération de jeunes Libanais qui se situaient au-delà des frontières féodales du leadership traditionnel. Ce fut un mouvement spontané, non violent, qui rassembla des gens de toutes religions et classes sociales.

Organisé au départ par un mouvement de jeunesse qui avait installé des tentes sur la place des Martyrs, il fut le symbole du soulèvement de la nation unie, du fond du cœur, au-delà de toutes les divisions sectaires. Cette ferveur populaire qui portait un sentiment anti-syrien unanime exerça une énorme pression sur les Syriens et força leur retrait. Leur départ, obtenu grâce à l'approbation des États-Unis, de la France et de l'Arabie, fut un moment unique dans l'histoire, vécu dans le sentiment d'un nationalisme renouvelé. La passation du pouvoir fut immédiate. Elle favorisa les dirigeants sunnites et le Hezbollah se retrouva sur la défensive après avoir vu son plus fidèle allié, la Syrie, contraint de se retirer.

L'euphorie fut de très courte durée. La période qui suivit immédiatement leur départ fut marquée par de nombreux attentats à la voiture piégée visant l'intelligentsia politique de la nation.

Il y eut huit assassinats entre 2005 et 2006. Une fois de plus le pays connaissait une vague de meurtres terrifiants. J'assistai de loin à la mort de beaucoup de gens que j'avais connus, dont Gibran Tueni, le jeune rédacteur en chef du journal *An-Nahar* qui, en 1990, avait échappé à une tentative d'assassinat peu de temps avant celui de mon père. Le fils de l'ancien président Amine Gemayel, Pierre, fut également sauvagement abattu à bout portant par des assaillants armés de fusils automatiques, qui prirent sa voiture en embuscade. Le mouvement du 14 mars était né en réponse à celui du 8 mars, journée où le Hezbollah avait monté une manifestation dans le centre de Beyrouth pour montrer ses muscles et rendre hommage à la présence des Syriens au Liban, avant qu'ils ne se retirent. Aujourd'hui, ces deux mouvements sont devenus politiques et divisent radicalement le pays selon un axe chiite/sunnite entre ceux qui soutiennent le régime syrien et ceux qui s'y opposent.

En dépit des promesses de liberté et d'autonomie qu'il portait en lui, le mouvement du 14 mars ne tarda pas à être récupéré par les chefs traditionnels. C'est aujourd'hui un parti politique comme un autre, placé sous la bannière d'Hariri et dirigé par son fils Saad, qui a ses

propres enjeux dans la bataille politique libanaise. Il réunit un conglomérat de chefs traditionnels comprenant mon oncle Dory, entre
autres.

Peu de temps après le retrait syrien, le général
Aoun rentra au Liban, mettant fin à son exil
volontaire en France qui avait duré de nombreuses années. Le pays, qui jusque-là souffrait
d'une absence d'un vrai chef chrétien, se trouva
soudain face à une autorité immensément charismatique. Le très populaire retour d'Aoun au
Liban eut lieu moins d'un mois avant les élections parlementaires. Il faisait peser une menace
sérieuse sur la direction du mouvement du
14 mars. Pour éviter qu'il ne s'en empare, Hariri
et Joumblatt refusèrent de modifier la loi électo-
rale, conçue sous l'ère syrienne pour priver les
électeurs chrétiens de leur représentativité, en les
incluant dans des circonscriptions à forte majorité
musulmane. Elle leur permettrait de contrôler de
nombreuses listes de représentants chrétiens qui
leur seraient ainsi redevables de leur élection.
Aoun vit la menace pour la communauté chrétienne. Hariri et Joumblatt signèrent alors un
pacte électoral avec le mouvement chiite Hezbollah et son allié, le parti Amal du président du

Parlement Nabih Berri, connu sous le nom d'« Alliance Quadripartite ». Il permit à la coalition Hariri-Joumblatt de remporter la majorité des sièges chrétiens au sein du parlement qui en comptait cent vingt-huit, et cela en dépit du fait que plus des deux tiers des votes chrétiens s'étaient portés sur la liste d'union réformiste d'Aoun.

Mais l'Alliance Quadripartite se révéla incompatible avec les exigences imposées par Washington, Paris et Ryad. La seule chose qui intéressait les Américains, les Français et les Saoudiens étant de forcer le gouvernement, dont Siniora était alors Premier ministre, à obtenir du président syrien Bachar El-Assad des concessions de la part du Hezbollah.

Incapables de contenir la montée en puissance d'Aoun et la renaissance de la communauté chrétienne, Saad Hariri et ses bailleurs de fonds trouvèrent la seule parade possible : diviser la communauté chrétienne. Par conséquent, la première décision adoptée, en 2005, par Hariri et le Parlement nouvellement élu fut de faire sortir Samir Geagea de prison, après douze ans d'incarcération et une condamnation à perpétuité. J'étais en Amérique quand je reçus la nouvelle.

Saad Hariri et les Saoudiens avaient négocié à Paris un accord avec l'épouse de Geagea. Il stipulait que sa libération serait accompagnée de celle d'une vingtaine d'extrémistes d'Al-Qaïda incarcérés pour avoir mené des attaques terroristes contre l'armée libanaise et contre des civils en 2001. Parmi eux figuraient sept militants soupçonnés de complot terroriste contre les ambassades italienne et ukrainienne à Beyrouth. Cet accord négocié en échange de la grâce de Geagea fit l'objet d'un projet de loi spécifique que le parlement adopta le 18 juillet 2005.

La libération de Geagea réussit effectivement à diviser les chrétiens. Geagea prit le parti de Hariri et devint la voix chrétienne du mouvement du 14 mars. Il l'est toujours. Ce mouvement promeut les fondamentalistes salafistes, en la personne de Mohamad Kassir. Il mise également sur l'effondrement du régime syrien et la montée de l'islam sunnite en Syrie, conformément aux vues de l'Arabie Saoudite et du Qatar.

En ce qui me concerne, la libération de Geagea n'eut aucun sens. Personne ne nous avait consultées, ma sœur ou moi, avant sa grâce. Tout ça était absurde, d'autant plus absurde que c'était Hariri, le père de Saad, qui s'était battu au premier chef pour faire juger, condamner et incar-

241

cérer Geagea. Mais à l'époque les ambitions régionales étaient différentes et le paramètre jihadiste n'entrait pas encore en ligne de compte.

L'Occident acquiesça à la libération de Geagea. Elle lui donnait un nouveau pion sur le jeu d'échecs local, un leader extrémiste chrétien à opposer au Hezbollah. Sa libération, le 18 juillet 2005, eut lieu exactement un an avant l'incursion d'Israël au Liban du 12 juillet 2006, qui était prévue de longue date.

Après la campagne de l'armée israélienne de 2006 au Liban et la décision unilatérale du gouvernement d'avaliser le Tribunal international, le Secrétaire général du Hezbollah, Sayed Hassan Nasrallah, se vit forcé de retirer les ministres chiites du gouvernement et de rejoindre Aoun dans un front uni d'opposition.

Cette alliance naquit d'une convergence des intérêts chrétiens et chiites au Liban : les deux communautés avaient souffert des détournements de fonds systémiques qui avaient appauvri les caisses de l'État sous les gouvernements Hariri. Elle était au fond prévisible car les chrétiens, comme les chiites libanais, sont conditionnés par une peur ancestrale des sunnites, dominants dans le monde arabe. Ils partagent la crainte des conséquences engendrées par l'intégration permanente des trois cent à quatre cent mille réfugiés palestiniens sunnites qui vivent au Liban. Et ils sont l'un et l'autre menacés par l'essor des groupes sunnites salafistes et jihadistes au Liban. Le Hezbollah et le parti du général Aoun avaient par ailleurs la même position sur les thèmes de la corruption et du clientélisme confessionnel dans les arcanes de l'État et prônaient l'adoption de plates-formes politiques laïques. Cette association n'en surprit pas moins les électeurs d'Aoun qui l'avaient soutenu durant toutes les années de son combat contre la Syrie. Même dans le meilleur des cas, il était difficile d'imaginer comment un tel partenariat pourrait fonctionner. Néanmoins, la moitié de la population chrétienne se rangea à ses côtés et à celui du Hezbollah. Que l'on soit d'accord ou pas avec Aoun, il faut reconnaître que réussir à convaincre sa circonscription de le suivre dans cette voie représenta à la fois un énorme pari et une victoire politique. Cette population chrétienne partageait manifestement son désir de libérer une partie des chrétiens de l'oligarchie Hariri.

La nouvelle alliance entre Aoun et les chiites donnait aux chrétiens une voix dissidente et indépendante. Elle leur offrait, en définitive, un

garde-fou à l'évolution démographique du pays
et à l'agrandissement du fossé entre les chiites et
les sunnites, qui menaçait sérieusement de servir
de base à une nouvelle guerre dans la région.
Et de fait, les nuances politiques locales n'allaient
pas tarder à disparaître, englouties sous l'entrelacs
des grandes lignes dessinées dans le sable par les
diktats internationaux et la menace imminente de
l'Iran sur Israël.

La division du pays entre factions pro et
anti-syriennes, représentées respectivement par
les mouvements du 14 et du 8 mars, engendra
donc des alliances apparemment contre nature
entre, d'une part, des fondamentalistes chrétiens
et des sunnites censément conservateurs et,
d'autre part, des chrétiens conservateurs et des
musulmans censément fondamentalistes.

Lors des élections législatives de 2009, les
Saoudiens financèrent les campagnes des candidats du 14 mars et l'Iran procura vraisembla-
blement de son côté un financement substantiel
aux candidats du 8 mars, quoique plus modeste.
Celui de l'Arabie permit à la coalition d'acheter
discrètement des voix et de fournir gracieuse-
ment à des milliers de citoyens libanais expatriés
des billets d'avion pour venir voter. Toutes

manœuvres qui eurent pour effet de faire pencher considérablement la balance en faveur du mouvement du 14 mars.

Une fois de plus, je regardais mon pays se déchirer en faisant la guerre des autres et, une fois de plus, j'étais la victime de ces luttes externes. La libération de Geagea offrait un exemple typique des distorsions que fait subir la politique à la justice pour son propre bénéfice.

Je ne m'étais jamais fait beaucoup d'illusions. J'avais toujours su que la libération de Geagea était une option possible, compte tenu de la nature intrinsèquement volatile de la politique libanaise. Mais plus encore qu'une nouvelle trahison, elle représentait pour moi un tournant important. Je comprenais enfin – et c'était libérateur – la nature fondamentalement irresponsable, immorale et opportuniste de la politique dans ce pays. J'étais en train d'assister à une nouvelle oscillation du pendule. Le contexte politique était aujourd'hui favorable à sa libération, tout comme il l'avait été auparavant à son arrestation et à sa condamnation.

Que Geagea ait provoqué tant de souffrances durant des années n'avait pesé d'aucun poids. Les caprices des politiques avaient prévalu une fois de plus. Je ne pouvais rien faire d'autre que me résigner à l'absurdité de la vie et de ses méandres et m'étonner, qu'au Liban, les notions de justice et d'injustice soient perverties au point de n'être plus que des critères relatifs.

S'agissant de ma famille, mon oncle continuait de m'ignorer et ne m'appela même pas quand Geagea fut libéré. Pour couronner le tout, il défendit publiquement, par voie de presse, son innocence dans le meurtre de son frère. Une fois de plus, il accusa les Syriens. Sa déclaration, qui ne reposait sur aucun fait avéré, ne changeait pas d'un iota les éléments de preuve réunis et analysés pendant toute une année par des gens intelligents et rationnels, lors du procès. Mais cette attitude porta préjudice à la mémoire de mon père et au sens qu'il avait donné à sa vie. Les Forces Libanaises en firent aussitôt leur beurre, se servant des mots de mon oncle pour proclamer à tout va l'innocence de Geagea et de leur nouvelle relation avec lui pour pousser leur avantage dans la communauté chrétienne.

Ce fut l'une des choses les plus difficiles à tolérer pour les fidèles supporters de ma famille. Profondément choqués par le comportement de Dory, ils ne cessaient de m'appeler pour se lamenter et me faire part des dernières nouvelles :

Dory avait fait étalage de sa nouvelle alliance avec Geagea lors de rassemblements communs en mémoire des martyrs de la guerre civile. Les Forces Libanaises y avaient même affiché des photos de mon défunt père que leur chef avait tué ! La femme de Geagea avait assisté en personne à une messe commémorative pour mon père !

En 2008, j'appelai mon cousin, Camille, pour lui faire part de mon intention d'assister, cette année-là à la messe de requiem. Il me répondit qu'il allait voir ça avec mon oncle et me rappela pour me dire que son père, Dory, était, je cite : « OK si elle sait se comporter ». En d'autres termes, je pouvais venir si je ne faisais pas de vagues au sujet de la présence de ses alliés des Forces Libanaises. Je fus abasourdie par la dureté de sa réponse. Je n'assistai pas à la messe. Au lieu de cela, j'envoyai un communiqué de presse pour dénoncer toute l'affaire, y compris l'alliance de mon oncle avec l'assassin de son frère. Ce fut la goutte d'eau qui fit déborder le vase et mit fin, une fois pour toutes, à ce qu'il restait de relation entre nous.

Mon communiqué de presse fit grand bruit. On pouvait y lire :

À propos de l'anniversaire de l'assassinat, le 21 octobre 1990, de Dany Chamoun

Il m'est douloureux d'écrire en ce triste jour mais je me sens tenue de présenter des excuses pour le détournement de la mort de mon père Dany Chamoun auquel se livrent aujourd'hui ceux qui ne comprennent pas la gravité de leurs actes. Je tiens également à exprimer ma considération à nos chers amis de la famille Karamé et de la famille Frangié qui ont également subi la perte de leurs proches dans des conditions similaires.

Il y a dix-huit ans, Dany a été assassiné avec brutalité lors d'une attaque préméditée si impitoyable qu'elle a pris non seulement sa vie mais aussi la vie de sa femme Ingrid et de ses deux fils innocents Tarek et Julien. Il me semble que c'était hier. Cet acte a jeté un voile noir sur notre pays et, malheureusement, rien ne s'est arrangé depuis.

J'ai passé deux années de ma vie impliquée dans le procès sur l'assassinat de ma famille où Samir Geagea a été reconnu coupable du meurtre de Dany. Les complications au cours de ces années éprouvantes sont venues de tous côtés, y compris malheureusement de celui de notre propre famille. Le frère de Dany, Dory, n'a pas assisté au procès. Peut-être avait-il un intérêt politique à ne pas s'aliéner une certaine partie de la communauté

248

chrétienne. Durant toute cette longue procédure judiciaire, j'ai pris sur ma vie le temps d'en explorer tous les angles, de parler et d'envisager tous les aspects de l'affaire avec tous les acteurs concernés, afin de faire la vérité sur l'assassinat de ma famille. Parmi ceux auprès de qui je suis allée chercher conseil, il y a eu feu le Premier ministre Rafic Hariri. Il a défendu avec force la condamnation et la tenue du procès de Samir Geagea, et a entièrement approuvé son verdict. Il savait, sans aucun doute, ce qu'il faisait et c'est pourquoi certains actes et prises de position récentes dans le pays me consternent.

Aujourd'hui, la vérité établie lors du procès est ouvertement bafouée. Et c'est pourquoi je suis dans l'obligation de prendre la parole et de dénoncer ceux qui persistent à innocenter Samir Geagea. Il a été reconnu coupable, à l'unanimité, de toutes les charges pour meurtre qui pesaient sur lui, par la plus haute instance du pays, constituée de juges de la plus grande équité, tous représentants honorables de leur confession.

Le manque de respect flagrant pour ce verdict insulte tous ceux qui ont œuvré pour amener les criminels devant la justice et ceux qui ont aimé Dany. Il trahit l'essence même de sa vie, qui fut d'une conduite politique et d'une conscience exemplaires. Le fait que Samir Geagea soit sorti de pri-

son arbitrairement ne le disculpe pas des crimes pour lesquels il a été reconnu coupable.

Il y a environ cinq ans, j'ai été invitée à revenir au Liban par un groupe de nombreux membres éminents du Parti National Libéral. J'ai passé plusieurs mois à m'entretenir avec eux et à tenter une conciliation avec ceux qui se sentaient privés de leurs droits par la direction du Parti, assurée par le frère de Dany, Dory. Ces hommes et ces femmes ont, depuis, créé eux-mêmes les organisations « Noumour » et les « Amis de Dany Chamoun ». Ils ont été persécutés à tort et accusés de trahir le Parti, quand ils n'ont fait que rester fidèles à la mémoire de mon père et à son héritage. Pour cela, ils ont été menacés et frappés d'ostracisme.

Personnellement, il y a cinq ans, j'ai eu à faire le choix de m'opposer à mon oncle Dory pour défendre mon père et l'œuvre de sa vie. Pour le bien de notre famille, la mémoire de mon grand-père Camille et de ma grand-mère Zelpha, j'ai choisi de m'éloigner et de me retirer de ce qui aurait été un déchirant conflit familial. Je ne voulais pas recréer le schéma de luttes internes qui est le fléau des grandes familles de notre pauvre pays depuis des décennies. Au grand désarroi de nos chers et fidèles amis au Liban, je me suis volontairement exilée, pour permettre à Dory de continuer. Il m'a semblé qu'il convenait d'agir ainsi, par respect pour sa position de fils aîné du président Camille Chamoun.

Cependant, mon absence n'a eu d'autre utilité que de permettre aux mensonges de l'histoire révisionniste de se propager sans opposition. La conduite virulente et les attaques verbales récentes de Dory contre Michel Aoun, un allié proche de la famille, ses prises de parole sans fondement pour défendre Geagea et son alliance ouverte avec lui, me forcent aujourd'hui à dénoncer publiquement ces actions.

Notre pays a-t-il perdu sa mémoire collective ? Il est inadmissible que Samir Geagea fasse commerce du sang des martyrs pour faire avancer sa carrière politique, qu'il déprécie l'image de Dany et son héritage en incluant des références et des photos de lui dans ses dernières manifestations politiques. Cela m'attriste de voir notre pays replonger dans des luttes de pouvoir dénuées de sens qui déchirent la vie de nos citoyens innocents. À voir nos politiciens dressés les uns contre les autres, il semble que les erreurs du passé continuent de modeler le présent.

Une messe a été prévue par Dory et ses alliés indésirables, en octobre, pour honorer non seulement la mémoire de Dany, mais celle de tous les martyrs — une fois encore, pour tirer du deuil des bénéfices politiques.

Mon cœur saigne pour les familles de ceux qui ont été tués dans les années terribles des combats. Je suis unie avec elles. Mais mon cœur saigne plus encore de voir la vérité au nom de laquelle ils se sont sacrifiés, volée et profanée par des mensonges.

Par conséquent, par respect pour Dany, Ingrid et mes frères, je demande que ceux qui ont aimé vraiment Dany et qui gardent encore dans leur cœur son message d'intégrité et de courage face à l'injustice montrent leur amour en n'assistant pas à ce service. Car assister à cette messe serait participer à l'hypocrisie et apporter un soutien à ceux qui continuent à déformer la vérité.

Je sais ce que mon défunt père s'est efforcé de faire, pourquoi il a lutté courageusement et pourquoi il a été tué. Je sais qu'il aimait le Liban et a été lié d'amitié avec tous ses habitants, musulmans, chrétiens ou druzes. À ses yeux, et aux miens aussi, nous sommes tous égaux, frères et sœurs d'une même nation. J'ai l'honneur d'être sa fille et de me souvenir de lui en ce jour. Que son âme repose en paix.

Je prie avec ferveur pour que sa mort, et la mort de tous les martyrs, ne soit pas gâchée par les actes irresponsables de quelques-uns.

Tracy Chamoun
15 octobre 2008.

Je pesai bien les conséquences de mes paroles avant d'envoyer ce communiqué de presse, mais le seul risque que je courais était de perdre ma famille et elle n'avait jamais été à mes côtés, ni au début, ni après le meurtre de mon père, ni pendant le procès, ni à n'importe quel moment. De toute façon, le prix était élevé. Je pouvais garder le silence sur leurs ignominies ou en parler et encourir la colère de ceux qui étaient visés. Mon oncle et de nombreux membres de la famille furent en effet furieux contre moi mais ils ne m'avaient pas laissé d'autre choix et mon amour pour mon père me forçait à justifier à la fois sa vie et sa mort.

Toutes les années qui ont suivi, j'ai continué à livrer les batailles de mon père. Il a fallu de nombreuses années à mes cousins pour me pardonner mais ma réaction n'avait jamais été dirigée contre eux. Elle visait mon oncle qui n'avait pas la capacité de voir le mal que faisaient ses actes à son entourage et à ses proches.

Mon isolement fut complet. Quand je rentrai au Liban en 2009, les quelques personnes qui prirent la peine de me voir se comptaient sur les doigts d'une main. Ce fut un rude constat de me retrouver de nouveau paria dans ma propre patrie. Cependant, j'avais choisi cette voie sans mensonges ni tromperies et je savais que c'était le prix à payer si je voulais rester honnête avec moi-même.

Ce ne fut pas un choix facile de retourner au Liban. Je ne savais pas ce que j'allais y trouver. J'étais partie depuis cinq ans. Hariri avait été tué, les Syriens avaient retiré leurs troupes du pays, les Israéliens l'avaient envahi et étaient repartis, après avoir causé, une fois encore, un désastre humain terrible et des dégâts considérables et Samir Geagea, que j'avais regardé dans son box d'accusé durant les deux ans du procès de ma famille, paradait en leader glorieux, ignorant son passé sanglant. Pour moi, le Liban était toujours le lieu de toutes les traîtrises. Un de mes amis les plus chers décida, pour des raisons de sécurité, que je ne devais pas rester dans mon appartement parce que j'y étais sans protection. Après mon communiqué de presse certains partisans de mon oncle s'étaient violemment introduits dans la maison de mon ancien garde du corps et l'avaient forcé à leur montrer les messages que nous échangions sur Facebook. Puis ils l'avaient violenté, avaient volé son ordinateur et menacé sa femme et son fils pour le punir de sa loyauté à mon égard.

En conséquence, contrairement à mes autres visites, ce voyage fut organisé de façon à ce que je sois aussi invisible que possible. Ce fut pour moi une sensation étrange que de rentrer dans mon pays dans ces conditions. J'étais sans famille, sans maison et je ne pouvais même pas dire à mes amis que j'étais là.

L'hôtel où je séjournais était situé à l'endroit exact où Hariri avait été tué. De la fenêtre de ma chambre, je pouvais voir les dégâts qu'avait causés l'explosion sur la façade de l'immeuble d'à côté et cela sonnait comme un terrible rappel de ma propre histoire sanglante avec ce pays. L'hôtel était situé dans Beyrouth-Ouest où s'étaient déroulés des combats féroces et déterminants. Je n'étais pas revenue dans cette zone depuis des années, depuis ma petite enfance, avant la guerre. Il me semblait triste et ironique à la fois que je me sente aujourd'hui plus en sécurité de ce côté. L'idée même de me retrouver dans une chambre d'hôtel dans mon propre pays me dépassait et cette réalité me paraissait inadmissible. Ainsi, j'étais de nouveau repoussée en marge de la vie normale. La première nuit, seule dans ma chambre d'hôtel, je fus envahie par un terrible sentiment d'injustice. Mon père, qui avait été un héros noble, était mort tandis que ses assassins étaient libres de vivre leur vie.

Pour ne pas me laisser submerger par la tristesse, je décidai de me ressaisir et de sortir acheter des fruits et de l'eau. Je me retrouvai dans un grand supermarché. J'étais la seule blonde et la seule femme dont le visage n'était pas caché par un foulard. Je pris conscience que je devais avoir l'air d'une Américaine. J'esquissais un sourire tout en me demandant ce que ces femmes pouvaient bien penser des Américains. J'étais au cœur d'un quartier à majorité musulmane et je n'aspirais qu'à la paix. Je souhaitais que tous ces leaders furieux du Moyen-Orient, qui avaient créé tant de divisions, se rendent seulement compte que les gens désirent vivre une vie normale où l'on peut faire ses courses, élever sa famille, profiter de son travail et prendre soin de ceux qu'on aime.

Je retournai à l'hôtel et me sentis, pour la première fois, heureuse de me retrouver dans ce qui semblait être le Liban d'autrefois. J'allai remettre mes pas dans ceux de ma jeunesse, dans tous ces quartiers que je n'avais pas vraiment revus depuis : les ruelles près de Hamra où j'allais au restaurant et au cinéma, la rue de Verdun où se trouvait ma première école, le Collège protestant de jeunes filles, le St George Yacht Club où j'avais appris à faire du ski nautique, l'hôtel Phoenicia où ma mère faisait des défilés de mode pour les dames qui déjeunaient au restaurant du dernier étage. Tous ces endroits qui avaient constitué le décor de ma jeunesse, où j'avais connu tant de joie et d'insouciance.

De retour à l'hôtel, je regardai de mon balcon le crépuscule sur la Méditerranée. Le soleil se languissait sur une mer rose. La brise semblait marquer un temps quand des promeneurs passaient le long de la corniche. Venue des petits cafés au bord de l'eau, l'odeur du poisson frit montait par bouffées. Les palmiers oscillaient paresseusement. J'écoutai les bruits de la rue, le cri des vendeurs offrant leur marchandise, les klaxons impatients des voitures, les voix, tous formaient comme un orchestre de sons urbains.

Ces impressions me transportèrent dans un passé bruissant de rencontres et d'échanges qui revinrent comme des fantômes. Elles m'arrachèrent à la torpeur qui avait gagné ma vie ballottée par les vents mauvais du destin. À travers toutes les émotions qui montaient en moi, la tristesse, l'étrangeté, je me reconnectai à la beauté de mon pays, le Liban. Je venais en quelque sorte d'atterrir dans l'histoire mythique de mon propre passé et je goûtai le bonheur de renaître, non comme une victime de Beyrouth mais plutôt comme son enfant, qui retrouvait sa ville, pour la première fois, sans le fardeau des années sombres.

En soi…
Des émotions qui bourdonnent
Qui sans cesse nous façonnent
Nous poussent à blâmer l'autre
Même quand c'est pas sa faute
Nous séparent de l'amour inconditionnel
Nous rendent esclave de justifications partielles

Mais quand je garde mon centre
Et j'empêche que la colère y entre
Lorsque j'inverse les rôles, je vois
Que l'autre est aussi un autre moi

Lorsque je fais taire mon verbiage
Je trie les choses par balayage
Séparant mon faux petit moi
De la divine sagesse de ma foi
Je retrouve ma nature vaste et infinie
Qu'aucune chose sur terre ne ternit

Puis je me souviens alors
Qu'au départ j'avais tort
J'avais oublié de sonder mon cœur
Où la distance ne fait pas peur
Entre mon être et mon âme
Ainsi je ne cède plus au drame
Car je sais que mon imagination
Avait faussé mon interprétation
Me faisant ainsi toujours oublier
Que je dois d'abord me surmonter
Pour devenir au fil du temps
Libérée de tout petit jugement

Extrait
« Jugement »

10.

Au fil des années, je comprenais mieux de quel Liban avait rêvé mon père. Et je me sentais proche de lui. Au point que j'envisageai d'y retourner pour me présenter aux élections parlementaires de 2013. C'était comme un appel profond que je n'aurais pas su décrire ni vraiment expliquer, auquel venaient se mêler, une fois encore, les sollicitations incessantes des personnes qui, au Liban, n'avaient toujours pas renoncé à me voir prendre la place de mon père. Au fond, je portais une double culpabilité, celle d'avoir survécu à la mort violente des miens, peine parfois plus lourde que leur perte elle-même, et celle que je continuais à ressentir à l'égard de ceux qui avaient souvent payé très cher leur fidélité à ma famille et à son nom. Et qui comptaient encore sur moi.

Mais l'essentiel du travail de ma vie avait été de chercher à m'émanciper du passé, à dépasser ces épreuves pour faire naître un autre moi, libéré des entraves conventionnelles. Si je retournais au Liban, je devais avoir la certitude que c'était bien moi qui rentrais et non mon père ou mon grand-père.

J'ai fini par comprendre que la seule bataille qui vaut d'être menée est intérieure, contre toutes les formes d'identité fondées sur l'ego, l'ego étant la projection à l'extérieur de ce que nous pensons être. Nous sommes définis par les histoires que nous nous racontons sur nous-mêmes. Celles-ci créent en nous des limites que nous prenons pour la définition même de notre personne et qui nous empêchent de percevoir notre véritable identité, universelle et partagée. Ces identifications particulières sont si bien ancrées que parfois nous sommes prêts à tuer pour défendre les idées que nous avons sur nous-mêmes. L'extrémisme naît le plus souvent de cette forme d'identification à l'ego. L'extrémisme engendre aussi des sentiments de haine. La haine relève d'une distorsion de soi et du rejet de tout ce qui est sacré en nous. La haine est le contraire de la compassion et du pardon.

En ces temps de grandes incertitudes, nous avons besoin de changer de mentalité, de passer d'une vision fondée sur la peur à une autre, fondée sur la compassion et la confiance. Dans cette nouvelle mentalité, le pardon n'est pas conditionnel. Il ne consiste pas en ce que l'une des parties doive admettre sa faute tandis que l'autre s'enorgueillit de sa capacité à pardonner. Ce pardon-là est juste une autre forme d'identification à l'ego.

Le vrai pardon vient quand on lâche prise et que l'on acquiert une solide compréhension de notre interdépendance. Nous sommes tous des enseignants les uns pour les autres. En accordant son pardon à l'autre, nous nous pardonnons à nous-même. C'est la base de la compassion : se reconnaître dans l'autre.

Si j'écris ce livre aujourd'hui, si je me suis sentie poussée à faire toute la lumière sur l'assassinat de ma famille, ce n'est pas par esprit de revanche ou par colère. C'est pour honorer la vérité. Et la vérité est le point de départ du pardon.

Ce n'est pas en niant les atrocités de dix-huit années de la guerre civile au Liban qu'on guérira leurs séquelles. Les tragédies et la douleur font partie de la destinée humaine. Notre façon d'y réagir est une autre affaire et c'est un choix. Soit nous les prenons comme point de départ d'une renaissance ; soit nous les utilisons pour justifier le déclenchement d'autres cycles de douleur et de haine.

Pour mettre un terme à la souffrance, qu'elle soit physique, mentale ou spirituelle, il faut d'abord la comprendre. Cela ne se fait pas tout seul. Il y faut de la vigilance et la volonté de se donner les outils nécessaires à la guérison. Dans le cas du Liban, on pourrait instaurer des groupes de soutien social, d'expression artistique qui favorisent la catharsis, de projets collaboratifs qui soudent la communauté ainsi que des services commémoratifs, à l'échelle nationale, pour honorer la mémoire des victimes de la guerre, en tant que martyrs libanais.

Il s'agirait là d'un processus de catharsis nationale. La prise de conscience des erreurs et des fautes du passé est une étape nécessaire à la guérison. Elle permettrait également d'alerter la nouvelle génération sur les conséquences des choix dangereux. Elle donnerait à la nation dans son ensemble une chance de dépasser son sentiment d'être à la fois victime et divisée, qui n'est jamais qu'une illusion dans laquelle la douleur nous enferme.

J'ai pu expérimenter dans ma propre vie que la vérité fait partie intégrante de la guérison. On ne peut pardonner que si on connaît la cause de sa souffrance. On ne peut pas aller au-delà d'un crime si la lumière sur lui n'est pas faite. Je crois que la vérité est toujours un phare pour la croissance et la réalisation de soi. C'est pourquoi les opportunistes, qui confondent histoire et propagande, ne devraient pas être autorisés à réécrire la vérité.

En tant qu'espèce, nous suivons un processus d'évolution à travers l'histoire. Nous nous sommes efforcés de passer de la barbarie des origines à des pratiques plus civilisées. Mais ce voyage implique un mécanisme d'apprentissage cumulatif qui passe par une transmission fidèle de notre histoire, base d'enseignement pour les générations à venir. La vérité de l'histoire est, en revanche, l'un des concepts les plus aléatoires qui soit car elle peut être manipulée par les inclinations et les conceptions personnelles de l'observateur. C'est la raison pour laquelle elle est extrêmement controversée. J'ai pris conscience par exemple, dans mon cas, que l'assassinat de ma famille au Liban était complètement soumis au révisionnisme historique. Partant de là, je me suis donnée pour tâche d'être la sentinelle de la vérité sur ces événements. Je pense aussi qu'il est de mon devoir de partager cette vérité, afin de la rétablir et d'honorer la mémoire de ma famille martyre.

Dans un article du magazine *Time* du lundi 20 août 1979, publié à l'occasion de l'inauguration de l'United States Holocaust Memorial Museum, on pouvait lire cette phrase d'Élie Wiesel : *Pourquoi ne pas laisser les horreurs du passé s'estomper dans l'anesthésie des livres d'histoire ? Tout simplement parce que nous ne pouvons pas le faire et continuer à nous considérer comme des êtres humains.*

Au-dessus de ce même article, figurait ce titre en bandeau : *Ne jamais oublier. Ne jamais pardonner.* Malheureusement cet axiome a été appliqué à la lettre au Moyen-Orient. Et je suis convaincue qu'il est, à lui seul, responsable de la perpétuation de la souffrance du peuple juif, du peuple palestinien, du peuple libanais, du Moyen-Orient en général et, pourrait-on dire, du reste du monde à voir le nombre d'actes de guerre et d'actes terroristes qu'engendre le conflit israélo/palestinien. Le refus d'oublier, joint au refus de pardonner, sert de justification aux conflits interminables, aux guerres et aux génocides. À l'inverse, Gandhi disait : *Pardonner, ce n'est pas oublier.*

Le parcours du pardon se fait à l'intérieur de chacun et répond à la conviction qu'il est nécessaire de sortir de la souffrance et d'aller vers la liberté. Une grande partie de mon cheminement personnel a consisté à transcender la douleur et à intégrer le pardon. Ce faisant, ma compréhension du pardon est allée au-delà de sa définition judéo-chrétienne qui lui attribue une valeur morale : le pardon est bon et le refus de pardonner mauvais.

La foi chrétienne elle-même repose sur le pardon. Si on commet un « péché », on le confesse et on est pardonné pourvu qu'on se repente. Mais cette forme d'expiation laisse de côté la question fondamentale de la connaissance de soi et de sa responsabilité. Pour cela, il est nécessaire que nous ayons une compréhension plus profonde du contexte de nos existences. Il nous faut identifier le vrai rapport qui lie nos vies avec les circonstances dans lesquelles elles se déroulent.

Le pardon prend tout son sens à partir du moment où nous comprenons que nous sommes venus à la vie pour apprendre. Dans plusieurs traditions, la vie est considérée comme une école pour l'âme. Quelles que soient nos expériences, elles font partie d'un parcours dont le sens profond est l'évolution de chacun vers la paix intérieure. Et cette paix n'est possible que si l'on intègre tous les aspects de soi fragmentés par la douleur et la souffrance.

La vie nous offre des occasions de grandir mais les expériences qui nous transforment sont généralement ressenties comme pénibles et exigeantes. Cependant, une fois que nous comprenons que nous sommes dans un processus d'évolution, nous comprenons aussi que ces obstacles font partie intégrante de notre chemin vers la connaissance de soi. À cette lumière, tous les conflits que nous expérimentons, les relations difficiles ou douloureuses se révèlent, paradoxalement, être de formidables possibilités d'agrandir notre conscience, comme nous le demande le vieil adage qui paraît si hermétique : « Connais-toi toi-même. »

En ce sens, nos adversaires et nos ennemis sont nos meilleurs professeurs. Ils nous permettent de découvrir le côté sombre de notre nature qui s'exprime souvent par la colère, le blâme ou la haine. Les situations et les individus contre lesquels nous luttons nous offrent l'occasion de prendre conscience de nos propres réactions et de les transformer, à terme, en expressions de paix, d'acceptation ou d'amour. À partir du moment où nous acceptons cette profonde interconnexion de tous les hommes et ses raisons, nous envisageons différemment notre relation à l'autre, même si cet autre est celui qui nous fait souffrir. Nous entrons dans un processus qui va nous permettre de lâcher la douleur qui nous emprisonne dans le cycle de la souffrance. Il devient alors possible de pratiquer le détachement et la compassion à l'égard de ceux qui nous ont causé du tort. Il devient possible de pardonner véritablement.

En ce qui concerne l'assassin de ma famille, Samir Geagea, quelles que soient les raisons qui l'ont poussé à faire ce qu'il a fait, j'en suis venue à comprendre qu'il était prisonnier de ses propres choix erronés. Du point de vue spirituel, les raisons qui poussent à prendre une vie et les arguments qui justifient un tel acte relèvent d'une profonde distorsion de l'être, conduit par son ego. La perception déformée du réel que donne ce dernier autorise la personne à se juger au-dessus des considérations éthiques ordinaires et, bien souvent, la volonté de tuer est alimentée par l'arrogance et la paranoïa.

À cette époque, au Liban, nous partagions tous le même état d'esprit impitoyable. Nous étions contraints de survivre dans un environnement haineux et brutal qui dénaturait nos choix comme nos actes. Geagea n'était donc pas meilleur ou pire que beaucoup d'entre nous si ce n'est qu'il s'est octroyé le droit et le privilège de suivre ses instincts les plus bas et de les infliger aux autres. Et pourtant, si terribles qu'aient été ses actes, ils m'ont forcée à grandir, à comprendre les effets dévastateurs et débilitants de la haine et de la colère. C'est pourquoi je n'ai ni haine ni colère envers lui.

J'ai conscience aussi que les conséquences des actes de Geagea se déploient bien au-delà de ma famille. Sa dette s'étend à la nation tout entière, à travers les nombreuses personnes dont il a détruit, physiquement ou moralement, la vie. Et je suis satisfaite qu'il ait été jugé au mieux des capacités de l'humanité. Mieux vaut laisser le reste entre lui, sa conscience et sa compréhension de Dieu. Continuer à entretenir la haine dans mon cœur ne servirait qu'à me blesser moi-même. Je ne suis responsable que de mes enseignements, pas des siens. La façon dont il choisira de vivre à l'avenir sera sa damnation ou son salut.

Pour la société, la négation de la vérité, sur ce crime et sur d'autres, a pour conséquence d'empêcher la prise de conscience et de responsabilités qui permettrait les transformations nécessaires. Ce n'est pas une question de pardon mais plutôt d'ordre ou de chaos. Le plus souvent, l'amnistie politique et le pardon officiel sont des manœuvres destinées à gagner en popularité ou à occulter la vérité, parfois à assurer des objectifs particuliers. Mais si l'on veut bâtir une nation solide qui se respecte et respecte ses citoyens, la transparence et la responsabilité sont fondamentales pour établir la foi en la légitimité de l'État et de ses représentants. Sans elles, il ne peut y avoir de confiance dans son autorité. La justice est une condition préalable au pardon. Il faut d'abord l'établir pour que nous puissions aller au-delà de la haine et créer une nouvelle norme de coexistence pour l'avenir.

Pour être totalement claire, ma réconciliation personnelle avec l'impact que Geagea a eu sur ma vie n'a absolument rien à voir avec une quelconque approbation de ses choix politiques et de ses ambitions. Je n'adhère pas à ses convictions politiques. Je les trouve sectaires et ségrégation-nistes. Comme telles, je dirais qu'elles sont dictées par la peur et l'exclusion. Geagea est mû par une vision messianique dans laquelle la fin justifie les moyens. Par conséquent, son idéologie est un tremplin pour la guerre et non pour la paix.

Dans le passé, cette vision rétrécie d'une nation fondée sur la ségrégation ethnique a trouvé son pendant dans le pragmatisme isola-tionniste des Israéliens. Aujourd'hui – ironie de l'histoire – ce sont les sunnites qui lui redonnent des couleurs, avec la montée de leur propre fondamentalisme au Liban. Voila qui aide à comprendre pourquoi Geagea est un ardent défenseur du mouvement du 14 mars qui favo-rise l'extrémisme islamique dans le pays, car un extrémisme peut légitimement être contré par un autre. L'extrémisme, sous sa forme salafiste ou sous une autre, est en train de devenir la « raison d'être » de Geagea. Il lui permet de promouvoir sa propre version du phénomène. Il veut en faire la base d'une politique sectaire qui va lui per-mettre de contrôler une partie de la communauté chrétienne par la peur.

La nouvelle génération, que ciblent ses efforts de propagande, n'a pas connu la tragédie de la guerre et ces jeunes sont incapables d'évaluer le coût de l'extrémisme religieux. C'est pourtant lui qui a permis à l'une des guerres civiles les plus brutales de l'histoire de durer dix-huit ans. Durant ce laps de temps, d'innombrables vies ont été perdues, la nation a été mise à genoux et ses dirigeants tués, exilés et emprisonnés.

C'est pourquoi je demande : N'avons-nous pas encore compris cette leçon ? L'extrémisme, le nettoyage ethnique et l'isolationnisme ne sont pas et ne seront jamais une solution pour le Liban. Nous devons au contraire prendre conscience de notre interdépendance fondamentale. Nos sorts à tous sont liés. Il n'y a pas d'endroit où se réfugier, pas même dans d'irréalistes cantons confessionnels.

Nous ne pourrons vraiment exister dans l'avenir que si nous acceptons d'aller au-delà de la vision obsolète que nous avons les uns des autres et si, d'autre part, nous trouvons des moyens plus pacifiques pour résoudre nos conflits. Si nous n'y arrivons pas, nous répéterons les erreurs du passé et la leçon sera encore plus dure.

Nous avons à nous poser une question urgente : allons-nous nous réveiller à temps et en finir avec l'illusion de notre différence pour nous unir enfin dans la prise de conscience de notre humanité partagée ? Einstein disait : *Nous aurons besoin d'une manière de penser fondamentalement nouvelle si l'humanité veut survivre.*

À ce stade de ma vie, pour avoir vécu l'horreur et l'inanité de la guerre, je ne peux que plaider en faveur de la paix. Notre voyage collectif exige non seulement des apprentissages mais aussi des adaptations. C'est ce qui se passe actuellement dans de nombreuses régions du monde. L'humanité se trouve à un tournant unique où sa capacité à progresser à partir de ses erreurs est sollicitée de manière urgente. Plus nous occulterons nos erreurs et ignorerons la possibilité d'un changement radical, plus vite nous disparaîtrons. Reconnaître nos erreurs ne constitue pas un échec mais plutôt l'expression d'une croissance intérieure qui va nous permettre de passer à la phase suivante de l'évolution. Il nous faut d'abord reconnaître le mal, avant d'envisager toute guérison ou progrès.

Mes pensées sur la paix sont personnelles mais je crois qu'il doit y avoir une volonté de paix au niveau individuel d'abord pour que cela se produise au niveau collectif. Tragiquement, tel ne semble pas être le cas dans le monde. Il y a déjà beaucoup trop d'obscurité et il n'y a d'appétit que pour la guerre. Nous choisissons trop souvent la violence pour résoudre les problèmes politiques.

Au Liban, j'ai été élevée dans une culture où l'extérieur prime sur l'intérieur. La richesse matérielle est magnifiée. Elle est le gage du succès. L'objectif est de l'afficher. La corruption est omniprésente. Seul l'argent parle. La société est divisée entre ceux qui en ont et ceux qui n'en ont pas. Cet état de fait aggrave la tendance à l'insécurité et à la dépendance car, parfois, le seul moyen dont on dispose pour survivre et surmonter ses difficultés est de se subordonner à un politicien riche et de rechercher sa protection.

L'État ne se positionne pas en garant des droits individuels. Le statut du citoyen libanais n'est pas protégé mais miné en permanence par une culture fondée sur le clientélisme. C'est, du reste, la raison pour laquelle les dirigeants en place au Liban l'emportent toujours et que tout nouveau mouvement est aussitôt mis sous tutelle de la vieille garde. J'ai tellement vu ça quand j'étais jeune. Mon grand-père soutenait au moins cinq familles et d'autres personnes venaient à la maison tous les jours pour quémander des faveurs.

Octroyer des faveurs est l'une des activités principales des politiques au Liban.

Mais le prix à payer pour cette médiation est une loyauté servile à l'égard du fief. Ce mandat féodal façonne le paysage politique depuis des générations et la seule façon d'en sortir consiste à renforcer l'État par une série de lois civiles. Il est également essentiel de créer un climat de transparence et de responsabilité pour surmonter la corruption et assurer aux individus leurs droits fondamentaux et inaliénables à s'auto-représenter et s'auto-déterminer.

Outre les droits humains fondamentaux, les droits des femmes sont pitoyablement à la traîne. Les rares femmes qui arrivent à des positions de premier plan y parviennent parce que leur mari, père ou frère est mort, assassiné ou incarcéré. J'ai accès à la scène politique parce que je bénéficie de l'héritage de mon père et de mon grand-père. Il n'y a pas une seule femme au Liban aujourd'hui qui soit au pouvoir de son propre droit.

Il y a tant de domaines où la loi est discriminatoire à l'égard des femmes et devra être revue. Il faudrait par exemple leur donner le même droit que les hommes de transmettre la nationalité libanaise à leurs enfants. Si j'étais un homme, mon fils pourrait être libanais. Mais dans l'état actuel des choses, il n'a pas ce privilège.

D'un point de vue économique, la femme libanaise doit pouvoir bénéficier des mêmes prestations sociales, salaires ou promotion. En tant que mère, elle doit pouvoir disposer d'un congé de maternité adapté et avoir l'assurance de retrouver son emploi dès son retour. Dans le mariage, elle doit posséder les mêmes droits et, en cas de divorce, être protégée par la loi contre l'injustice qui prévaut aujourd'hui en matière de tutelle, de garde des enfants et d'adoption.

Tant de domaines réclament des réformes. L'environnement, par exemple, a été désacralisé par la foi en un capitalisme débridé. Les carrières de pierre et les cicatrices laissées par des exploitations à ciel ouvert défigurent les belles collines entourant la capitale. Tout le monde possède une voiture parce qu'il n'y a pas de transports publics ni de trottoirs où marcher nulle part. Les fumées provoquées par les embouteillages massifs qui bloquent la capitale sont insupportables pour tout piéton. La pollution par émission de gaz carboniques stagne au-dessus de la ville. Beyrouth est, la plupart du temps, enfouie sous le smog.

Il n'y a pratiquement aucune réglementation sur l'utilisation des pesticides et des produits chimiques dans les aliments, et les cancers augmentent. Aujourd'hui, une femme sur sept fait l'objet d'un diagnostic de cancer du sein. La prépondérance des fumeurs est écrasante et le mépris général pour la qualité de l'air, dangereux. Dans son ensemble, la société libanaise n'a aucune connaissance des liens entre la santé des individus et leur environnement.

Le plus surprenant, c'est de découvrir qu'il existe bel et bien des lois au Liban, prévues pour réguler toutes sortes de pratiques. Le problème réside dans leur application et leur respect, notamment par les dirigeants et autres hommes politiques qui sont généralement les premiers à abuser de leur position pour les violer.

Nulle part, le mépris de la réglementation n'est plus évident que dans le domaine de l'immobilier. Beyrouth est un imbroglio de constructions hasardeuses, érigées selon les caprices de chacun. Il n'y a pratiquement aucun espace vert dans la ville, pas de parking, aucune logique, ni facilité à vivre. Dans les dix prochaines années, compte tenu des prévisions démographiques, l'ensemble du territoire libanais sera urbanisé. Comment allons-nous survivre dans ces jungles de béton et dans cet environnement défiguré qui gagne du terrain chaque jour ?

La survie de la nation est en cause et le danger ne vient pas seulement des pressions exercées sur l'environnement mais aussi d'une culture politique dominée par l'héritage de cupidité mercantile qu'a laissé Rafic Hariri. Les nombreuses années passées à dépenser sans discernement l'argent saoudien ont introduit dans la fonction publique l'idée que c'est l'argent qui fait la loi.

À la corruption endémique qui en découle viennent s'ajouter le désespoir et la résignation populaires. Car le fossé est immense entre la prospérité financière de quelques-uns et la pauvreté de la majorité. Il n'y a plus de classe moyenne au Liban. Elle a été décimée par le manque d'emplois et l'absence d'un plan économique durable pour la croissance et le développement. Les jeunes Libanais sont obligés de s'expatrier pour trouver un travail qui soit rémunéré à un niveau acceptable. Le salaire moyen des travailleurs est d'environ 400 euros par mois. Ces réalités et bien d'autres rendent la vie quotidienne intenable au Liban où les gens se montrent résignés et défaitistes quant à la possibilité d'un avenir meilleur.

Nos pères fondateurs ont élaboré une constitution révolutionnaire pour l'époque. Ils ont cherché à fournir toutes les conditions pour que les différents groupes confessionnels disposent d'une représentation équitable dans le cadre d'un État. Mais ils ne sont pas allés assez loin. Le fait est qu'ils ont échoué à créer véritablement un État et avec lui un « citoyen libanais », dans la mesure où ils n'ont pas su établir la prééminence des lois civiles sur les lois religieuses. Cet échec est patent aujourd'hui. Il leur aurait fallu maintenir l'intégrité confessionnelle de chacun tout en créant une nation laïque. Est-ce encore possible, compte tenu de la radicalisation de la religion à l'heure actuelle ? C'est une inconnue. Mais il faut d'ores et déjà mettre en place les mécanismes qui permettront d'isoler la branche législative du gouvernement des diktats religieux. On pourrait par exemple imaginer de créer une chambre haute ou un Sénat qui serait de nature confessionnelle et agirait comme un « chien de garde » pour préserver l'équilibre religieux. L'existence d'un tel Sénat permettrait de libérer le Parlement, actuellement confessionnel, des limitations et des craintes que cela lui impose.

Le Liban n'est pas une nation religieuse comme Israël ou le Pakistan, ou même l'Arabie

Saoudite. Chacune de ces trois nations privilégie constitutionnellement une religion sur les autres. Dès le début, le Liban a été un melting pot de religions différentes, pouvant chacune s'exprimer librement. Aujourd'hui, on peut voir des filles en minijupes et d'autres portant le voile travailler côte à côte. Il y a une tolérance naturelle chez les Libanais, qui est gauchie par les politiciens avides de pouvoir.

En raison de l'équilibre fragile de sa structure, le Liban a été ballotté comme un bouchon sur les mers agitées de la politique internationale. Il est temps de forger un nouveau sentiment d'identité nationale qui permette de garantir le respect et l'honneur de tous les individus à égalité selon la Constitution.

Les Libanais ont besoin de renaître en tant que citoyens, de trouver leur place dans le cadre d'une nation et non dans des ghettos confessionnels. J'ai été choquée en lisant la Constitution libanaise. Dans le préambule aux dispositions fondamentales de la loi constitutionnelle du 21 octobre 1990, il y a une clause qui, à mon avis, représente une lacune importante dans la définition même du schéma directeur de la nation. Elle proclame : « L'abolition du confessionnalisme en politique est un objectif de base national et un plan sera mis en place pour sa réalisation. » Les constitutions n'ont pas à proclamer des objectifs car ils sont soumis aux caprices du destin. Les constitutions doivent être claires, précises et définitives. Cette déclaration est une pâle intention, ce n'est pas un mandat. L'État doit agir en tant que garant de ses citoyens. Par conséquent, il est nécessaire que figure dans la Constitution une déclaration claire qui établisse la séparation complète entre l'État et la religion. Il y a d'autres passages dans la constitution qui dénient leurs droits aux citoyens, en confiant ceux-ci à des instances religieuses. Il est, par exemple, impossible d'apporter le moindre changement dans le domaine des droits des femmes car ils relèvent du droit de la famille qui reste l'apanage des tribunaux religieux.

Si l'on veut donner au Liban une chance de vivre en paix dans l'avenir, il est plus important que jamais de réveiller les consciences et de faire comprendre aux citoyens libanais la nécessité de s'identifier à une nation unie. Pour y parvenir, nous devons donc les encourager à parler la langue de la modération et de l'inclusion. Tant que ce dialogue ne sera pas instauré, il n'y aura aucune solution en vue. Le pays restera polarisé sur les problèmes ethniques qui sont apparemment insolubles. Ils ne le sont pourtant que parce que chaque partie les envisage du point de vue étroit de sa paroisse, de son intérêt partisan et de ses peurs. Si le point de focalisation est redirigé vers le pays dans son ensemble, il sera possible de trouver les meilleures solutions politiques pour tous dans un cadre qui place l'intérêt du pays au-dessus de celui des communautés qui le composent. Un nouveau génie national doit émerger. Il va falloir se concentrer sur l'image globale et ne pas se laisser prendre dans les machinations politiques et les turbulences du passé. Celles-ci ont brisé notre nation la piégeant dans deux décennies de guerre, suivies de deux décennies d'impasse, créées par une politique sectaire.

En outre, il est nécessaire que ceux qui voudront encore fomenter des conflits soient reconnus pour ce qu'ils sont : des agents de subversion au service des desseins politiques et des intérêts étrangers. Il est temps que les Libanais choisissent de ne pas faire la guerre des autres sur leur propre sol.

Dans la même veine, il est opportun d'appeler à un consensus national de non-alignement et à la mise en œuvre d'une doctrine de neutralité civile. Cela signifie qu'en tant que citoyens libanais nous sommes astreints à faire passer les intérêts de notre nation avant les conflits politiques extérieurs sur lesquels nous n'avons aucun contrôle. J'ai choisi à dessein l'expression neutralité civile dans ce contexte très spécifique, par opposition à la neutralité de l'État. La neutralité de l'État a des implications beaucoup plus importantes sur le plan international. La neutralité des civils est une décision personnelle de faire ce qui est le mieux pour le Liban en tant que citoyen, sans se soucier de qui l'on soutient ou ne soutient pas. Il s'agit de mettre de côté nos préférences et croyances personnelles et de trouver une façon de s'engager et de communiquer les uns avec les autres qui ne mette pas en danger la structure de la société. Elle nous permettra d'éviter des affrontements armés entre nous et de nous élever au-dessus de tout discours ou de tout mouvement politique qui divise et porte atteinte à l'intégrité du Liban en tant que nation.

La nation libanaise oscille entre espoir et désespoir. Le pays est mystique et magique, enchanteur. Il déconcerte et captive, séduit et fait des ravages car il est extrême par nature. Il attaque les sens et ravive le tempérament de chacun par l'énergie qu'il distille. Il est ancien et nouveau, vil et beau, tragique et héroïque. Le Liban est une terre de contraste absolu, incarné par son peuple. Même sa géographie est schizophrène, des sommets blancs des montagnes aux plages de sable chaud. Rien au Liban ne s'exprime avec modération.

Au lieu de vouloir réduire ces extrêmes à un dénominateur commun, nous devons célébrer nos différences et nous réjouir de nos contrastes. Oublions de nous tuer les uns les autres pour notre diversité et célébrons notre pluralité. La seule façon de rêver cette nation est de lui rendre sa mixité et de la dresser devant le reste du monde comme un exemple de coexistence et de tolérance. Sinon, elle ne sera qu'un projet raté, une aberration dans le temps et l'histoire. Très profondément, nous le savons tous, c'est pourquoi, en dépit de tout, des gens comme moi et d'autres continuent de se battre pour cette vision d'une nation unifiée, diversifiée et multiculturelle, une nation bâtie sur les valeurs de l'Orient et de l'Occident, qui envoie un message au monde.

Pour moi, la boucle est bouclée et je suis prête à me réengager dans cette vision, tout comme mon grand-père l'a fait, j'imagine, quand il a combattu pour l'indépendance de la nation contre les Français et comme mon père l'a fait aussi quand il a combattu pour la nation contre les intérêts divers engagés dans le conflit israélo/palestinien et leurs machinations.

Aujourd'hui, nous sommes une fois de plus au cœur du combat pour cette nation. Mais, cette fois-ci, il ne s'agit pas seulement d'un combat contre des étrangers aux visées idéologiques radicales mais également d'un combat contre nous-mêmes, nos pires tendances et notre incapacité à entretenir quelque chose de merveilleux. C'est notre job aujourd'hui de protéger l'intégrité et la souveraineté de cette nation.

Les forces du mal se déchaînent
Dans les ténèbres et la pure haine

Tant d'années déjà passées
Tant d'hégémonies exercées

Ce mal comment l'empêcher
Sans la tentation d'y céder ?

Comment allumer un incendie
Sans allumettes tu me dis ?

Tu refuses toute violence
Ainsi que la vengeance
Tu fais taire les démons dans ton cœur
De la pire colère et de la peur
Tu deviens
Ton propre témoin
Tu contrôles ta témérité
Tes appétits, ta réactivité
Ainsi que tes tentations
Et tes plus basses pulsions.

Commence à penser à l'autre
Pardonne-lui sa douleur, ses fautes
Aime ses joies et abandonne
Ton Moi qui te désarçonne
Réalise, au plus profond de ta vérité
Que tu n'es pas, et ne seras jamais
Tes pensées, tes émotions, ton corps
Mais une âme au-delà de la mort
Voguant sur un chemin
Pour devenir avec soi Un
Et continuer à chercher
Des apparences d'être défait.

Extrait
« Un Chemin sans but »

11.

Le Liban est, depuis peu, sur le fil du rasoir, entre émergence et urgence. À certains égards, il a déjà basculé dans l'urgence. Sur le plan politique, c'est comme si rien n'avait changé. Ce sont toujours les mêmes qui s'acharnent les uns contre les autres et se sentent obligés de relayer les divisions régionales et de mener toutes les luttes politiques internationales. Le pays en est complètement déstabilisé. Les politiques regardent vers l'extérieur, les yeux rivés en permanence sur le baromètre régional. Le relèvement intérieur du pays est soumis aux caprices de gouvernements successifs instables, formés puis boycottés en

fonction des influences et des directives internationales. Dans un contexte régional marqué par
une fracture dangereuse entre les communautés
sunnite et chiite, les combats en Syrie n'ont servi
qu'à exacerber les mêmes tensions politiques au
Liban. La Syrie arrive à sa propre croisée des
chemins et semble désormais lancée dans une
guerre civile prolongée. Des forces étrangères se
sont engagées à fournir des armes et des fonds
pour mener cette guerre, exactement comme elles
l'ont fait au Liban pendant toutes ces années de
conflit. Les violences actuelles en Syrie menacent
de se répercuter au Liban, de façon imminente.
Si ce débordement a lieu, il pourrait provoquer
une vraie rupture, sur des bases religieuses, entre
les groupes ethniques adverses, exacerbant la fra-
gilité constitutive du Liban multiconfessionnel.

C'est pourquoi ceux qui souhaitent la division
du Liban ont sauté sur l'occasion que leur offre
cette flambée de ferveur religieuse séparatiste et
s'y rallient. Ils raniment le spectre de la partition,
qui a alimenté la guerre civile au Liban pendant
de nombreuses années. Cette idéologie séparatiste est depuis toujours au cœur d'un pro-
gramme politique plus large qui concerne tout
le Moyen-Orient et vise à diviser le monde arabe
en fonction de critères tribaux et ethniques,

conformément au vieil adage : diviser pour régner.

Les Libanais, selon leur habitude, attendent de voir cc qui se passe autour d'eux et sur quelle face va tomber la pièce, côté sunnite ou chiite, autrement dit si ce sont les Saoudiens salafistes ou les Iraniens et le Hezbollah qui vont prendre l'ascendant au Moyen-Orient. Les chrétiens du Liban n'ont plus leur mot à dire parce qu'ils ont perdu leur indépendance. Ils ont pris le parti de l'un ou l'autre camp, au lieu d'agir en modérateurs entre les deux.

Il est clair qu'à ce jour il n'y a pas de processus de paix au Moyen-Orient. Pour que la paix soit possible, il faudrait en finir avec le climat de méfiance généralisée, ce qui impliquerait de réviser radicalement le système de croyance dominant, fondé sur le bon droit, les revendications et la vengeance.

Qu'il s'agisse de l'Iran, de l'Irak, de l'Arabie Saoudite, d'Israël, du Hezbollah, du Hamas, de la Syrie, des chiites, des sunnites, des maronites ou des druzes, la motivation est la même : préservation de soi et haine de l'autre. Chacun justifie sa position et pratique une politique dictée par les intérêts de sa paroisse. Cela crée des cycles de violence qui se cumulent et s'auto-perpétuent.

Je n'ai aucun doute sur le fait que la conclusion naturelle des politiques actuelles d'exclusion mutuelle et d'élimination de l'autre est potentiellement cataclysmique, si l'option nucléaire est envisagée. Auquel cas, les effets se feront sentir à travers le monde entier car, aussi en sécurité que nous croyons être, personne n'est à l'abri de ce type de violence.

Les anciennes alliances sont en train de se rompre et les régimes dynastiques s'effondrent sous la volonté du peuple et ses pressions pour obtenir des réformes et la justice sociale. Le réseau mondial de communication par Internet donne aujourd'hui une voix à chacun et les appareils des États totalitaires sont de moins en moins efficaces à la faire taire. La voix isolée n'est plus solitaire mais amplifiée par une communauté d'inconnus aux idées fraternelles. Les révoltes arabes sont nées d'une de ces coalitions électroniques.

Il n'y aura pas de paix au Moyen-Orient sans une solution au conflit arabo/israélien. Une partie de cette solution réside dans un traité de non-prolifération nucléaire qui inclurait Israël au même titre que tous les pays du Moyen-Orient. Continuer à appliquer deux poids et deux mesures à la question palestinienne comme à la question nucléaire fait courir à la catastrophe et à une troisième guerre mondiale qui mettrait l'ensemble du globe au bord du chaos. Quelque chose doit céder. Espérons que ce sera la bêtise des hommes et non l'humanité elle-même.

Il ne peut y avoir de paix tant qu'on s'obstinera à raisonner en termes de tort et de raison, de revendications et d'accusation. La paix requiert que chaque camp prête une attention profonde aux préoccupations du camp adverse et non qu'il cherche à lui imposer son droit. Tant que les nuances les plus fines de la politique locale ne seront pas prises en compte dans les plans de paix, ceux-ci continueront à brosser à gros traits des solutions qui n'en sont pas car elles camouflent les véritables problèmes humains.

La prise de conscience de notre interdépendance est actuellement le seul espoir que nous ayons de voir disparaître l'ancienne vision du monde fondée sur l'exploitation. Cette vision dominante doit être remplacée par une nouvelle vision fondée sur la coopération. Tant que celle-ci ne s'imposera pas à tous les niveaux de la société – politique, social, économique, militaire – l'histoire, stupidement, se répétera.

Nous devons dépasser les généralisations et prendre garde à la diabolisation qui relève de tactiques intéressées. Il n'y a plus de divisions simples. Le fait est que le monde tel que nous le connaissions est en pleine reconfiguration. Sur toute la planète, le fossé se creuse entre ceux qui sont éveillés à la souffrance des autres et ceux qui ne pensent qu'à les exploiter pour servir leurs propres desseins. Le vrai champ de bataille est là. Et le combat ne concerne pas les frontières nationales et les religions. Il a lieu entre ceux qui veulent servir les droits de l'homme et ceux qui veulent manipuler les hommes pour mieux les contrôler. Les fanatiques religieux et les groupes fondamentalistes, dotés d'ambitions hégémoniques globales, en font partie.

Il y a actuellement un effort concerté pour promouvoir dans le monde une vision consensuelle, censée représenter la cause juste. Comme toute philosophie globale, elle ignore les détails et gomme les nuances. C'est tout ou rien. Vous êtes pour ou contre elle.

La politique étrangère américaine au Moyen-Orient est, depuis des décennies, exclusivement centrée sur le conflit israélo/palestinien qui offre un exemple typique de ces consensus autour desquels on polarise aujourd'hui le monde. Le point de vue consensuel sert Israël et les États-Unis le défendent. Le point de vue de l'opposition est tout ce qui dit le contraire et soutient la cause palestinienne. Tout se résume à une équation très simple : vous faites partie du consensus ou non. En d'autres termes, au Moyen-Orient vous êtes soit pour Israël soit contre Israël.

De même que l'Américain moyen d'aujour-d'hui ne fait pas la distinction entre les différents courants de l'Islam, l'homme de la rue, dans toute la nation arabe, ne fait pas la distinction entre Israël et les États-Unis. À son niveau de perception, la différence est floue.

La vision consensuelle opérant par raccourcis, les Occidentaux ont une vision très limitée de l'Islam. Ses différentes composantes étant sans cesse amalgamées, il en ressort une image aussi confuse que simpliste.

Pour en donner un exemple, la majorité des auteurs des attentats du 11 septembre étaient des ressortissants saoudiens et des musulmans sunnites jihadistes. Pourtant, aujourd'hui, quand un Occidental pense à un terroriste, il voit le

Hezbollah qui est un mouvement musulman chiite. Pour rendre l'affaire un peu plus complexe, les chiites sont considérés comme des blasphémateurs et des ennemis par les djihadistes sunnites comme Al-Qaïda et d'autres éléments fanatiques qui ont décrété des fatwas contre eux et les ont mis sur leur liste noire aux côtés de l'Amérique et d'Israël ! Cela ne veut pas dire que dans les années 1980, pendant la guerre, le Hezbollah n'a pas été responsable d'actes terroristes, y compris de l'enlèvement d'otages américains. Il a été aussi l'auteur présumé de l'attentat contre les marines américains. Mais aujourd'hui on ne peut tout simplement pas mettre tout le monde dans le même sac.

Il y a néanmoins une question sur laquelle toutes les factions sont d'accord, le Hamas, le Hezbollah ou Al-Qaïda, c'est la cause palestinienne. C'est pourquoi, il est d'une importance stratégique pour Israël que les Arabes s'enfoncent dans une guerre de religion sunnite/chiite potentiellement tragique et c'est exactement ce qui se passe. Car le danger pour Israël résiderait dans l'unification de ces forces islamiques présentes sur toutes ses frontières.

De leur côté, les États-Unis se retrouvent eux-mêmes pris au piège de leur politique de soutien à la démocratie. En Syrie, par exemple, en soutenant l'opposition, ils risquent de se retrouver, dans certains cas, du côté d'Al-Qaïda et d'autres groupes qui figurent sur la liste des organisations terroristes du département d'État.

Témoin du revers de fortune des printemps arabes et de leur appropriation par les Frères musulmans, la Secrétaire d'État américain, Hillary Clinton, à l'époque, a reconnu ne détenir aucune donnée fiable sur l'identité des membres impliqués dans le soulèvement syrien, surtout depuis la découverte de la participation d'éléments d'Al-Qaïda. Hillary Clinton a admis dans une interview à la BBC : « Nous avons un ensemble très dangereux d'acteurs dans la région, Al-Qaïda, le Hamas et ceux qui sont sur notre liste des organisations terroristes, bien sûr, qui soutiennent – ou se targuent de soutenir – l'opposition [en Syrie]. On reproche à ces terroristes des attaques sanglantes qui ont tué à la fois des responsables du régime syrien et des civils innocents. »

Le monde semble sens dessus dessous...

CONCLUSION

En 2009, je passais en voiture près d'un des monuments les plus impressionnants construit dans l'après-guerre du Liban, la mosquée Mohammad Ameen. Elle est considérée comme un chef-d'œuvre d'architecture religieuse. Elle était le joyau de la couronne d'Hariri et avait à ses yeux une valeur particulière. Il en avait posé personnellement la première pierre en 2003. La mosquée couvre 10 700 m^2 de surface au sol, répartis sur quatre étages. Aux quatre coins, des minarets s'élèvent vers le ciel à 72 mètres de hauteur. Le dôme, consacré à la prière publique, se trouve lui-même à plus de 42 mètres du sol.

Il est bleu azur avec des touches d'or et miroite au soleil avec les vagues de la Méditerranée qui clapotent sur la côte rocheuse toute proche. C'est l'un des monuments les plus imposants construits dans le pays, à la fois fastueux et dominateur.

Il sert aujourd'hui de sépulture à Rafic Hariri et voir sa tombe dans ce vaste édifice me rappelle la futilité de la gloire et la folie des rêves de grandeur des hommes. Car qu'importe la taille de l'édifice qu'ils se construisent pour eux-mêmes ou pour Dieu, ils finissent toujours en poussière sous la terre.

Je crois essentiellement que dans la vie il n'y a rien à posséder et rien dont se glorifier si ce n'est une vie bien vécue. Après des années passées à subir les pires atrocités de la guerre et à constater l'impuissance de la rhétorique qui l'encadre à ramener la paix, je suis maintenant profondément convaincue que la seule façon d'empêcher la guerre c'est d'incarner la paix. Et la paix, pour moi, repose sur trois piliers essentiels. Ce sont la Vérité, la Compassion et la Non-Violence.

La vérité vient à travers la prise de conscience partagée de l'aspect transitoire de nos vies. Une fois que nous acceptons cette révélation, la compassion surgit de la compréhension de notre destin commun et de la prise de conscience de l'interdépendance de nos vies et de nos expériences. La compassion nous donne la possibilité de nous reconnaître l'un dans l'autre et dans toute la création. Une fois que nous en avons fait l'expérience, nous ne pouvons tout simplement plus nous adonner à la violence. La paix devient la route à suivre, la seule.

Paix et guerre sont les deux faces d'une même médaille, au sens où leur option se présente simultanément à tout moment. C'est notre choix qui fait exister l'une ou l'autre. Nous sommes les variables qui influeront sur le dénouement de notre existence collective parce que nous sommes co-créateurs de notre réalité.

En fin de compte, il va nous falloir faire des compromis et nous éveiller à la volonté de coexister. Nous devons échanger la logique ordinaire du « nous et eux » contre une logique du « nous tous ». Nous devons adopter une politique d'affirmation, pas de négation. Nous devons nous dire oui les uns aux autres. Oui à notre pluralité.

Chaque fois que nous nous considérons meilleur que l'autre, chaque fois que nous trouvons une justification aux abus que nous commettons à son égard, chaque fois que nous nous estimons plus légitime que l'autre, nous perpétuons la guerre et non la paix.

Nos croyances rigides et sectaires, tout autant que nos préjugés, sont comme des épées. Ils sabrent nos rêves et nos désirs partagés. S'ouvrir à l'autre, agir en partant de la confiance et non de la peur, s'investir dans les préoccupations de l'autre, comprendre ses besoins comme nous comprenons les nôtres, avoir le courage de changer, sont les seules options possibles si nous voulons éviter de perpétuer les tendances destructrices qui gouvernent le Liban depuis qu'il existe.

D'un autre côté, c'est peut-être déjà trop tard. Mais si jamais nous avons la possibilité de choisir la paix véritable, la paix venant du cœur, si nous avons l'occasion de louer et non de blâmer, d'estimer l'autre et non de l'ignorer, d'unir et non de séparer, de prononcer des paroles d'amitié et non d'inimitié, alors faisons-le et oublions nos ennemis car ils ne sont que nous-mêmes sous un autre nom.

Nous ne pouvons pas survivre à long terme si nous continuons sur la même trajectoire. Il faut que quelque chose cède. Ce sera soit nos vies, soit nos limites. Nous devons envisager une nouvelle façon d'être qui puisse être comme un phare, un espoir d'évolution pour les générations à venir.

Notre religion n'a pas d'importance ni le Dieu auquel nous croyons. Il importe seulement que nous nous reconnaissions dans l'autre et que nous remplacions le besoin de juger et de blâmer par l'empathie et la coexistence.

Notre espèce est censée être intelligente. Nous avons beaucoup utilisé notre intelligence pour créer des armes de destruction massive et des stratégies d'exploitation. Nous devons mettre cette intelligence au service d'un nouveau destin et renoncer à notre folie qui repose sur la peur. Nous devons prendre la responsabilité de créer un futur plausible à long terme, en choisissant la non-violence et la tolérance pour guides. Enfin, nous devons nous réveiller du cauchemar de la guerre qui exige la vie de ceux que nous aimons depuis le début de notre courte et violente histoire.

En 2011, j'ai organisé un requiem au cimetière de Deir El Kamar pour honorer la mémoire de mon père. Beaucoup de gens sont venus sur sa tombe dans le silence et le respect. J'ai regardé autour de moi et n'ai senti que de l'amour.

J'ai réalisé que mon père avait laissé dans son sillage le souvenir d'un homme honnête qui faisait passer les autres avant lui et qui vécut et mourut pour son amour du Liban. C'était là son legs : il avait fait lever en chacun de ceux qui étaient présents une vision si puissante que, même plus de deux décennies plus tard et au-delà de la mort, elle était toujours dans le cœur de ceux qui partageaient son rêve d'une nation paisible et belle.

Ayant grandi dans l'ombre de mon père, j'ai eu aussi le privilège de comprendre la signification profonde du mot « libéral » dans le contexte libanais. Il inclut dans une vision cohérente toutes les particularités individuelles. C'est le fondement de la tolérance et de l'acceptation de l'autre, de ses croyances et de ses pratiques. C'est une philosophie d'inclusion et d'humanité partagée.

Dès le début de sa carrière politique, mon grand-père, Camille, avait nourri cette vision libérale et mon père a combattu pour elle et est mort pour elle. Il n'aurait jamais accepté le sectarisme ou une nation divisée. Il aimait tous ses amis et concitoyens, qu'ils soient musulmans ou chrétiens. Il était accueilli, où qu'il aille dans le pays, dans les montagnes druzes ou les maisons chiites avant la guerre, dans la vallée de la Bekaa. Ils auraient donné leur vie pour lui, ils l'adoraient. Ils le comblaient tous d'amour et nous gâtaient outrageusement de cadeaux et de bénédictions. Lui jugeait chacun sur son intégrité et son bon caractère. Voilà le genre d'homme qu'il était.

Et voilà que je me retrouve, moi, en train de célébrer le libéralisme, non pas en tant que doctrine politique mais en tant que volonté d'accepter et d'embrasser la diversité de chacune et chacun d'entre nous et d'encourager son expression par la tolérance. Cette croyance en la nécessité de magnifier notre diversité est fondamentale pour permettre au Liban de rester ce qu'il est : une communauté d'êtres humains qui s'efforcent de coexister en dépit de leurs différences culturelles et des difficultés qu'elles engendrent.

Récemment, comme je cherchais un appartement, on m'a emmenée en visiter plusieurs, dans les quartiers de Baabda et Mar Takla, en m'expliquant qu'ils étaient sûrs car proches de l'armée libanaise. Je me suis dit que rien n'était sûr. Mon père a été tué à Baadba et Élie Hobeika à Mar Takla. De qui se moque-t-on ?

Après avoir visité huit appartements, il m'en restait un à voir à Baabda. Comme je m'y rendais, j'ai ressenti un trouble étrange. Ce n'est qu'une fois à l'intérieur de l'appartement que j'ai compris pourquoi. Depuis le balcon, je pouvais voir l'appartement où mon père et ma famille avaient été tués. C'est dorénavant ma maison et ma vue quotidienne.

J'ai bouclé un cercle. Je suis rentrée chez moi au Liban, pour le meilleur ou pour le pire. Dans ce long voyage, je me sens très humble devant la sagesse et le caractère de mon grand-père, la passion et le dévouement de mon père. Je vois le don que mon père a fait au Liban, le don de sa personne, sacrifiée au nom d'un amour incon-ditionnel pour son pays. Et je suis honorée d'être sa fille.

REMERCIEMENTS

Je tiens à remercier mes amis qui m'ont soutenu pendant l'écriture de ce livre. Un remerciement spécial va à Georges Dumbakly pour avoir affronté la traduction en français, à Nancy André pour l'avoir revue, à Valérie Debahy, Marc Flamant et Camille El Khoury pour m'avoir aidée dans de nombreux aspects de l'ouvrage, à Annick Lacroix pour les révisions finales, et à Pia Daix pour notre longue amitié et son engagement vis-à-vis de moi et du Liban au fil des années. Je tiens également à mentionner mon cher ami Fadi Malha qui nous a malheureusement quittés et dont le conseil avisé va me manquer.

À mon mari Fred qui est avant tout mon principal éditeur et meilleur ami. Pour mon fils Lex, je laisse ces mots comme un chemin de retour à son héritage, afin qu'il puisse aller de l'avant hardiment dans sa propre vie en connaissant ses racines.

PHOTOCOMPOSITION PCA

CET OUVRAGE A ÉTÉ IMPRIMÉ EN FRANCE
PAR CPI BUSSIÈRE
À SAINT-AMAND-MONTROND (CHER)
EN MARS 2013

N° d'édition : 01. – N° d'impression : 2001848.
Dépôt légal : mars 2013.